그래도 추억하겠습니다

그래도 추억하겠습니다

지은이 허이두

발 행 2024년 5월 14일
펴낸이 한건희
펴낸곳 주식회사 부크크
출판사등록 2014.07.15.(제2014-16호)
주 소 서울특별시 금천구 가산디지털1로 119 SK트윈타워 A동 305호
전 화 1670-8316
이메일 info@bookk.co.kr

ISBN 979-11-410-8346-5

www.bookk.co.kr

허이두

BOOKK

차례

하늘에 계신 아버지와

그를 사랑하신 어머니께 이 책을 바칩니다.

1부

불행은 언제나 갑자기

#1. 맑고 청명한 6월의 어느 날

점심 즈음 되니, 햇살이 뜨겁다.

"날이 참 좋구나."

6월의 여느 날과 같이 햇살이 좌라락 대지를 때리는 느낌이 참 좋았다. 전날 중국집에서 양갈비와 함께 때려부은 연태고량주 때문에 불편한 속과는 달리, 날씨는 더없이 쾌청했다.

어제는 연구원에 새로 입사한 신입 박사님을 환영하기 위해 조촐한 저녁식사 자리가 늦게까지 지속되었다. 어느덧 연구원에 입사한지 10여년이 되고보니, 나는 '주니어' 테를 벗고 '시니어'로 나아가는 중이었고, 나보다 두살밖에 어리지 않은 신입박사는 적잖은 나이를 뒤로하고, 이제 막 주니어로 입사한 친구였기에 연구원의 선배로서 조촐한 환영식을 마련해 주었다. 코로나19로 인한 인원제약으로 소수의 인원이 자리한 저녁식사 자리가 그리 격하지 않았음에도 불구하고 식사시간이 지속될 수록 기억나는 것보다는 기억나지 않는 부분이 많다는 것은 어제 마신 고량주의 병수가 적지 않았음을 알려주고 있었다.

국책연구기관에서 일한다는 의무로 인해, 우리가족은 태어나서 평생자란 서울을 뒤로하고 2019년 말에 '세종특별자치시'로 이주하였다. 2017년, 내가 일하는 연구원이 세종시로 이전하면서 근 3년

여를 통근버스로 서울-세종을 오가며 출퇴근을 지속하였으나, 망가지는 몸과 정신을 더이상 감내하기 어려워 결국 '강제이주'를 결정하였다. 내 아내는 전형적인 '서울러'(Seouler) 였기 때문에, 세종시의 일상이 그리 달갑지만은 않았지만, 그나마 다행인것은 아내의 직장도 세종시와 그리 멀지 않은 대전이라는 이유로 우리가 처해져 있는 현실을 수긍해 가는 중 이었다.

세종시는 아무것도 없는 허허벌판에 만들어진 신도시였기 때문에, 여전히 부족한 면이 많았다. 잘 만들어진 아파트와 보행로와는 별개로 요즘 젊은이들이 즐길만한 것들이 절대적으로 부족하였다. 특히 쇼핑과 즐길거리, 먹을거리 등을 복합적으로 제공해주는 '멀티플렉스'에 익숙한 요즘 사람들의 욕구를 채워주기에는 부족한 면이 많았다.

세종시에도 그러한 공간을 조성하지 않은 것은 아니다. 몇몇 구역에 조성된 복합 쇼핑몰은 공실률의 비중이 입점률의 비중보다 컸고 이는 다소 삭막해 보일정도였으니, 가끔 사진을 찍어보면, 영화배우 윌 스미스의 영화 '나는 전설이다'(I AM LEGEND) 처럼 아무도 살지 않는 도시를 상상하게끔 하였다. 그마저도 이주를 결정한 2019년 말부터 코로나19가 전 세계를 강타하는 바람에, 세종시는 더욱 사람살지 않는 도시같은 느낌이 들었다.

이러한 이유로 우리 가족은 종종 세종보다 사람구경하기 좋은 대전의 쇼핑몰을 찾았다. 얼마전 개장한 대전의 모 아울렛은 쇼핑, 식사도 좋았지만, 무엇보다 아이들이 뛰어놀수 있는 넓은 '키즈카페'가 있었기 때문에, 육아에 허덕이는 부모들이 적잖은 비용을 지불

하고 아이들을 잠시 위탁할 수 있는 이점을 제공하였다.

그날도 여느날과 마찬가지로 대전 아울렛을 찾은 나는 불편한 속을 달래기 위해 식사를 마친 뒤, 아이들을 키즈카페에 '집어넣고', 제일 위층의 야외 테라스에서 커피 한잔을 주문해 2차 해장에 돌입한 상황이었다. 대한민국의 술마시는 40대 남성이 그렇듯, 아내의 눈치를 조심스럽게 살펴보던 나는 '날이 좋다'는 분위기 전환용 멘트를 아내에게 투척하고, 분위기를 살폈다. 아내가 갑자기 생각난 듯 질문을 던졌다.

"그런데 아버지 생신 준비는 어떻게 준비되고 있는거야?"

2021년, 그해 7월 1일은 아버지의 칠순이 있는 날이었다. 1952년 5월 22일생이신 아버지는 2021년에 한국나이로 칠순이 되셨고, 그해 음력 5월 22일은 양력으로 7월 1일이었다. 환갑이 만나이로 치루는 것과 달리 칠순은 한국나이로 치루기 때문에, 우리 부부는 아버지의 칠순잔치를 준비중이었다. 요즘같은 시대에 '잔치'라는 단어를 쓰는 것도 우습고, 코로나로 인해 많은 인원을 받아주는 식당도 없어서 조촐하지만 귀티나게 준비하고 싶었다.

부모님은 여전히 서울에 거주하고 계셨기 때문에, 서울의 모 호텔 뷔페를 예약했다. 당시 코로나로 인한 집합인원 제약의 숫자가 정확히 기억이 나진 않지만, 그 제약을 지키기 위해서 호텔측과 다수의 전화통화를 주고 받았다. 뷔페의 비용을 줄이는 최선의 방법은 포털사이트를 통해 예약을 하는 것 이었는데, 내 아내는 그녀의 명석한 두뇌를 십분활용한 우리집의 '기재부장관'으로서 이런 것에는 도가 텄기 때문에 이에 대해 나는 전적으로 일임하였다.

"일단 호텔예약은 숫자에 맞게 했는데, 어머니가 가족사진 찍자고 하셨잖아."

"그래... 그건 동생이랑 한번 상의해봐야 할것 같은데?"

내가 결혼해서 분가를 한것이 2013년 1월, 우리 부부가 두 아이를 출산한것이 각각 2013년 말, 2015년 말이니, 2015년에 이르러서 나와 아내, 두 딸아이와 아버지, 어머니, 여동생을 합한 7명의 직계존비속으로 이루어진 가족이 만들어졌다. 아직 미혼인 여동생이 언제 결혼을 할지는 몰랐지만, 가족사진이라는 변변한 그림은 내가 초등학생 시절이었던 30여년전 사진이 전부였고, 7인의 가족이 모두 모인 사진은 전무했으니, 부모님 입장에서는 절반이상 완성된 가족의 그림을 한장의 사진에 옮기고 싶으셨던 것 같다.

장남으로서 부담해야 하는 칠순잔치의 비용을 고려할때, 사진비용은 차녀인 여동생에게 부담시켜도 좋을 것 같다는 생각이 들었다. 오랜만에 동생한테 전화를 걸었다. 짧은 신호음이 울린후에 여동생이 전화를 받았다.

"응...여보세요?"

"응. [동생]아. 오빤데, 전화되지? 아빠 생신 때문에, 그러는데.."

"응... 이야기 해."

"오빠가 호텔예약은 알아서 할건데, 엄마가 사진찍자고 하셨잖아? 사진은 아무래도 동네 근처에서 찍어야 될 거 같아서, 니가 예약좀 해줄 수 있나?"

동생이 잠시 머뭇했다. 귀찮아서 그런가? 속으로 그런 생각이 들었다.

"어.. 근데.. 오빠."

"어?"

"지금.. 칠순이 중요한게 아닌거 같아서.."

응? 지금 이게 무슨 소리지?

"뭔 소리야?"

"아빠가 아프시다고 했잖아. 그게 생각보다 심각한거 같아. 근데 아빠는 병원에도 안 가시려고 하고..."

몇 주 됐나? 아버지가 몸이 좀 불편하시다고 했다. 평소 그 흔한 감기조차 걸리지 않으셨던 것을 생각하면, 이제 나이가 나이인 만큼 몸이 쇠약해 지셨나했다. 우리네 아버지가 그렇듯, 아버지는 병원에 가시는데 무관심하셨다. 무엇보다 병원에 돈 쓰는 것을 아까워 하셨고, 병원 가실 시간에 하루라도 더 일거리를 찾아 헤매셨다. 그런 아버지가 가벼운 감기몸살 같아 동네 병원을 들락날락 하셨다는 이야기는 전해 들었었다. 나는 다 나으신줄 알았지. 동생이 이렇게 말한것에는 이유가 있을 것이라 생각했다.

"어떻게 안 좋으신데?"

"몸이 전체적으로 노랗고, 눈도 그.. 황달..끼가 조금 있으셔. 배도 불룩한게... 근데 아빠는 괜찮다고만 하고... 이제는 거동도 조금 불편하신거 같아. 딱 봐도 정상적이지는 않으셔."

노랗다고? 황달? 배가 나와? 생각치 못한 단어들이 수화기를 넘어 전해왔다. 거동이 불편하시다고? 내 생각과는 많이 다른데... 호텔뷔페 값 몇백만원, 사진을 찍기위한 스튜디오 비용 등 숫자로 가득했던 머릿속이 갑자기 까매졌다. 불편한 속은 더 불편해졌다. '별일 아닐꺼야. 별일 아닐거야' 불편한 단어와는 다르게 나의 뇌는 별 일 아니라는 말을 되뇌었다.

...

우리 모두의 바램과 달리... 이날로 부터 1년을 채우지 못한 2022년 5월 7일 아버지가 돌아가셨다.

#2. 스피노자와 사과나무

조용한 연구실 창밖으로 금강이 비단처럼 흐르고 있었다.

"아니 사태가 이렇게 되도록 뭐 하셨어!!"

전날 전화통화로 사태의 심각성을 알고 나서, 나는 전화기를 붙들고 죄 없는 어머니를 질책했다. 아버지가 그 상태가 되도록 왜 병원에 모시고 가지 않았냐는 게 주된 내용이었다. 어머니는 예의 그 담담한 말투로 이야기하셨다.

"얘, 너네 아빠가 내 말 듣니?"

아버지가 우리들의 이야기를 그리 쉽게 듣지 않는 사람이라는 것을 나도 알고 어머니도 알고 있었음에도 불구하고 답답한 심정에 나온 말들이었다.

아버지의 병세가 심상치 않다는 사실을 전해 들은 뒤의 상황은 예상보다 더 답답하게 흘러갔다. 처음 전화통화를 한 날은 토요일이었고, 다음날은 일요일이었는데, 일요일에 집 근처 동네병원은 외래진료가 불가했고 응급진료만 가능한 상황이었다. 우리에겐 그 상황이 '응급'이었지만, 평소 병원 방문을 등한시하셨던 아버지 입장에서는 '다음 날'이라는 좋은 핑계가 있었다. 다음날인 14일 월요일에 동네 병원을 찾은 아버지는 더 큰 병원을 찾아가 보라는 이야기를 들으셨고, 사시는 곳에서 차로 20분 거리에 있는 비교적 가까운 B대학병원을 찾으셨다. 어렵게 찾은 대학병원에서는 코로나19로 인해 입원을 하려면 PCR 검사 음성 확인이 필요하다고 아버지를 집으로 돌려보냈고, PCR 검사가 통상 하루가 걸리는 통에 아버지의 대학병원 입원은 하루 더 미뤄졌다.

이 답답한 상황을 전해 들은 월요일에 나는 어머니께 전화를 걸었다. 어머니와의 통화에서 아버지의 입원 연기 소식을 듣고 내가 재차 반문했다.

"그래서 아빠는 지금 뭐하셔요?"

"일 가셨어."

"일? 아니 어떻게 일을 가실 수가 있어?"

14일 월요일에 입원을 하지 못하게 되자 아버지는 평상시와 다름없이 일을 하셨다. 다시 한번 말하지만, '일을 하셨다.' 아버지뿐만이 아니다. 어머니와의 통화 중 수화기를 타고 들려오는 '드르륵' 미싱 소리에 어머니도 일을 하고 계신 것을 짐작할 수 있었다.

'아이고 이 미련한 분들아...'

...

일밖에 모르는 미련한 아버지. 1952년 음력 5월생. 2021년 6월 기준 한국 통용 나이 칠십, 생일 전이므로 법적 나이 예순여덟. 160cm, 60kg 후반대의 딴딴한 체격을 가지신 배 나온 작은 아저씨.

충청북도 청원군(현 청주시)에서 9남매의 일곱째로 태어나셨다. 딸, 딸, 딸, 딸 내리 네명의 딸을 낳으신 할머니가 다섯째로 아들을 낳으셨는데 이분은 내겐 큰 아버지가 되셨다. 예전 분들이 그렇듯, 할머니는 첫째 아들에 대한 보험(?)으로 아들 하나를 더 원하셨는데, 기대와 다르게 다시 딸을 낳으셨고, 그 뒤에 우리 아버지가 이 자손 많은 가문에 일곱째로 태어나셨다. 할머니는 뒤이어 딸을 둘 더 낳으셨으니, 총 9남매라는 대 가족을 이루는 데 성공하셨다.

당시 우리나라 평범한 가족의 상당수가 그러하듯이 넉넉하지 않았던 가정형편으로 아버지는 교육을 제대로 받지 못하셨다. 정확하지는 않지만, 당시 국민학교를 졸업하시고 혈혈단신 무작정 서울로 상경하셨다고 했다. 어려운 집안 사정을 어릴 때부터 느끼셔서 제 밥벌이는 제 손으로 하고 싶으셨고, 그러기엔 지방보다 서울이 기회가 많을 거라 생각하셨다고 했다. 구두닦이며, 신문 돌리기 등등 안 해본 일이 없으셨는데, 30대에 이르러 동네에 있던 K섬유업체에 취업하셔서 번듯한 직업을 갖게 되셨다. 내가 국민학교를 다닐 때 즈음인가? 그 K섬유업체의 부장까지 되셨으니, 나름 가진 거 하나 없이 본인의 삶을 하나씩 채워나가셨다.

정확히 언제쯤 섬유업체를 퇴사하셨는지는 기억에 없는데, 대략 아버지가 40대 즈음에는 섬유원단을 떼다가 특정 업체에 납품을 하시는 개인사업을 하셨던 것 같다. 그 당시 우리 집에는 각양각색의 원단들이 둥그렇게 말린 '원단 전봇대'들이 집안 곳곳에 쌓여있었다.

내가 중-고등학교를 다닐 시기인 1990년대에는 이유는 정확히 모르지만, 섬유업계에서 나오셔서 인생 후반부를 대비하는 일거리를 찾으셨다. 아버지는 손재주가 매우 좋으셨기 때문에 밥벌이가 되는 '기술'을 배우고 싶어 하셨다. 기존의 섬유업계 쪽 일은 섬유를 만드는 것보다는 중개상의 역할을 담당하는 것이었다면, 이제는 본격적으로 무언가를 만드는 '제조업'에 뛰어들고 싶으셨던 것 같다.

이 기간 동안 구두수선, 지갑 제작 등 다양한 일을 배우시려고 노력하셨다. 다양한 시도 끝에, 아버지는 40대 후반 즈음에 '타일'을 배우셨다. 맞다. 주방, 화장실에 붙이는 그 타일 말이다. 느지막이 배우신 타일 기술에 대한 자부심은 아버지의 벌이와 밀접하게 연결되어 있었다. 내가 분가하기 전에도 매번 거나하게 술이 취하시면, 본인의 일당에 상당한 만족감을 드러내곤 하셨다.

"넌 얼마 버니? 난 하루 일 가면, 20만 원 이상씩은 벌어. 한 달이면 500은 넘지~"

"많이 벌어서 좋겠어요~"

가끔씩은 저렇게 장단 맞춰드리면 좋다 하셨다. 적어도 벌이 앞에서는 순수한 면을 자주 드러내곤 하셨다. 내가 고등학교 1학년 여름방학에 집에서 너무 놀고 있었던 어느 날에는 아들이 한심하게 보이셨던지, 아버지는 내게 이야기하셨다.

"집에서 놀고만 있을 거면, 아빠랑 같이 일가는 건 어때? 아르바이트비 줄게."

'오잉? 아르바이트비를 주신다고? 이건 빠질 수 없지!' 아버지를 따라가 2~3일 정도 같이 일을 했던 것 같다. 내가 한 일이라곤 모래나 시멘트를 날라드리고, 널빤지를 치우고 하는 소위 '대모도'('조력공'을 뜻하는 일본말)의 역할이었는데, 일이 다 마무리되고 5만

원 정도의 보상을 해주셨다. 내가 아르바이트비를 들고 무엇을 했는지 아나? 그 일당을 들고 당시 청계천변에 있는 헌책방에 가서 'EBS 문제집'을 전권 구매했고, 한 달이 채 남지 않은 여름방학 동안 나는 매일 '153 볼펜'을 하나씩 써가며 그 문제집을 다 풀었다. 덕분에 여름방학이 끝나자마자 치른 수능 모의고사에서 전교 10등 안에 들었으니, 내 고등학교 시절 공부의 절반 이상은 이때 다 한 것 같았다. 당시에는 이렇게 힘들게 일해서 번 돈을 허투루 쓰고 싶지 않았고, 열심히 공부하면 그 힘든 일을 다시 하지 않아도 될 것 같았다.

아버지는 아들 쓰는 재미가 쏠쏠하셨는지 몇 번이나 기술을 배울 것을 종용하셨고, 나는 그때마다, 발끈하며 대꾸했었다.

"그냥 공부 적당히 할 거면, 아빠 따라가서 기술이나 배워."

"아들을 하나 더 낳았어야 했는데. 기술 가르치려면, 그렇죠?"

타일업은 흔히 말하는 월급쟁이와 달리 평일에 출근하고, 주말에 노는 직업이 아니다. 일이 있을 때 하고 일이 없을 때는 노는 직업이다. 일이 있으면 주말이고 휴일이고, 여름이고 겨울이고 일을 찾아다니셨다. 그러니 아버지는 본인에게 주어진 일을 마다하지 않으셨다. 몸이 성치 않았지만 오히려 벌리는 일당에 흡족해하셨다.

하지만 타일은 기술뿐 아니라, 힘과 체력이 요구되는 육체적으로 무척 고된 일이었다. 일이 고되다 보니, 자연스럽게 아버지는 매일 술을 달고 사셨다. 여느 직장처럼 야근을 자주 한다거나 그러진 않았다. 대략 6~7시쯤 되면, 일을 마무리하시고 집에 오셨다. 타일의 특성상 일하는 중에 먼지가 잔뜩 묻는 경우가 많았기 때문에, 집에 오시면 목욕이나 세안을 하셨다. 그러시고는 곧장 동네 근처 시장에 있는 술집으로 가서 동네 친구들과 소주나, 막걸리 등을 기울이셨다. 주로 시장 초입에 있는 'H홍어집'이 아버지와 친구분들의 아지트였는데, 나는 개인적으로 홍어를 좋아하지 않아서 홍어집에 가셨다가 오시는 날에는 그 냄새가 더 적응이 되지 않았다. 취함의 농도 차이가 있을 뿐 일반적으로 저녁 9시쯤 되면 귀가를 하셔서, 어머니가 차려드리는 저녁을 또 드셨다. 곡기를 꼭 챙겨 드셔야 한다나 뭐라나. 때때로 만취하여 집에 들어오시는 날에도 그 패턴은 항상 일관되었다. 그래도 다음날 새벽이면 어김없이 일어나셔서 전날의 혈중 알코올 농도를 유지하신 채 또 타일을 붙이러 가셨다.

그런 아버지를 사랑하신 어머니. 1954년 음력 2월생. 2021년 6월 기준 한국 통용 나이 예순여덟, 생일이 지나 법적 나이 예순일곱. 155cm, 50kg가량. 동네에서 흔히 볼 수 있는 땅딸막한 아줌마.

제주도에서 태어나셨다는 이야기는 들었는데, 실제로는 어머니도 제주도가 전혀 기억이 나지 않는다고 하셨다. 서울에서 평생을 사셨으니, 그냥 서울 사람이라 보면 된다. 어머니의 가정사는 조금 복잡한데, 굳이 지면을 빌어 이야기를 하고 싶지는 않다.

어머니도 아버지와 같이 배움이 길지 않으셨다. 그럼에도 불구하고, 어머니는 나와 주변 사람들에게는 항상 '그레이스' 하시고, '고져스' 하셨다. 한국말로는 교양과 기품이 있으셨고, 담대하셨다. 남들과 다르게 큰 그릇을 가지셨다. 요즘 유행하는 말로는 '포용력'이 있으셨다.

어머니의 직업전선은 아버지에 비해 단순했다. 어머니는 어릴 때부터 '미싱'을 익히신 분이셨다. 적어도 10대 후반부터는 미싱을 하셨을 테니, 못 잡아도 50년은 미싱을 하신 그 바닥의 프로셨다. 1970년대에 평화시장 인근에서 근무하시면서, 당시 벌어진 '전태일 열사'의 분신 흔적을 목도하셨다고 하니, 대략 어머니가 활동하신 시대가 짐작된다.

어머니는 미싱을 하시면서, 섬유업체에서 일하시는 아버지를 처음 만나셨다고 하셨다. 두 분이 어떻게 눈이 맞으셨는지는 모르겠지만, 데이트가 거듭되면서 짠돌이셨던 아버지가 프러포즈 같이 않은 프러포즈를 하셨다고 들었다.

"이렇게 만나서 커피값 쓰는 것도 아까운데 그냥 결혼합시다."

가히 아버지 다운 사랑 고백이다. 이 역사적인 멘트를 통해 최초의 우리 가족이 만들어졌다. 이후 1979년 7월에 내가 태어났고, 6년 뒤인 1985년 3월에 내 여동생이 태어났다. 이로 인해 명실상부 4인의 그럴듯한 '완성형 가족'이 만들어졌다.

어머니는 결혼 이후에도 미싱을 계속 돌리셨다. 처음에는 집안에서 미싱을 하시다가 내가 국민학교를 입학한 뒤에는 집에서 미싱을 치우고 밖으로 출근을 하셨었다. 그러나 이런 출근도 그리 오래가지 못했다. 내가 국민학교 6학년 때, 우리 가족이 살던 반지하 집이 누수로 인해 불이 났었는데, 아버지와 어머니는 출근을 하셨었고, 나는 학교에, 내 동생은 유치원에 있어서 다행히도 인명피해는 발생하지 않았다. 대신 그 '섬유 전봇대'는 다 타 없어졌다. 그 이후에 어머니는 집에 혼자 있을 아이들이 불안하셨는지 새로 이사한 방 세 칸짜리 집 한 칸에 미싱을 채워 넣고 집에서 일을 하기 시작하셨다. 덕분에 집안에는 항상 실밥과 먼지로 가득했지만, 그래도 학교 끝나고 집에 오면 주저리주저리 이야기할 수 있는 어머니가 계셔서 행복했었다.

그 이후 이사 가는 집마다, 방 한켠에는 미싱이 자리했다. 내가 대학에 입학한 뒤에는 방 세가 있는 반지하 집에 살았는데, 그때 내 방은 가장 넓은 방이었지만 미싱과 동거해야 하는 상황도 있었다. 내가 군대를 제대하고 휴학 중이던 대학을 복학한 2002년까지도 미싱과의 동거를 계속하다가, 2003년이 되면서 지금의 3층짜리 다가구 주택을 경매로 마련하시고 우리의 삶터로 정하셨다.

이렇게 삶과 끊임없이 투쟁하신 아버지, 어머니는 나와 내 동생에게 항상 '근면'과 '성실'을 항상 강조하셨다.

우리 집 맏아들인 나. 이런 부모님 밑에서 나는 어릴 적부터, '나름' 착실히 살았다. 공부도 적당히 했고, 학교생활도 부모님 속을 썩일정도로 하진 않았던 거 같다. 98년 IMF의 동란에서도 서울의 저렴(?)하고, 괜찮은 대학교를 '특차'로 입학했고 무탈하게 졸업했다. 졸업 전에는 이미 그 힘들다는 취업난을 뚫고 1군 H건설회사에 입사를 확정하여 출근을 시작하였다. 내가 처음 건설회사에 취직하여 출근할 때는 무조건 열심히 하라며 다음과 같이 말씀하셨다.

"공돈 받을 생각하지 말고, 방울에서 딸랑 소리가 나도록 뛰어다녀!"

처음 입사했던 건설회사에서는 쉬운 말로 '개발사업'이라는 걸 했었다. 그때만 해도 사회에 굵은 울림이 주는 패기 있는 청년이 되고 싶었던 것 같은데, 당시에 내게 주어진 역할이 그렇게 크게 가슴에 와닿지는 않았던 것 같다. 그럼에도 불구하고 건설회사에서 매달 입금되는 월급과 격월로 입금되는 보너스의 유혹을 뿌리치기는 쉽지 않았다.

입사 후 1년쯤이 되어 며칠간의 고민 끝에 공부를 조금 더 해야겠다는 생각이 들었다. 삶을 사는데 나만의 철학이 필요했달까? 여기까지 6개월이 더 걸렸다. 부모님의 극심한 반대가 있었지만, 입사 1년 6개월 만에 태어나서 처음으로 '사직서'를 쓰게 되었다. 물론 사직서를 쓰기 전에 국내 몇몇 일류대학의 대학원 진학을 위해 응시하였다. 뒷배도 두지 않고 회사를 관둘 만큼의 '깡'이 있다거나 아무런 대책이 없이 후일을 도모하는 '무모한' 사람은 아니었던 것 같다. 대학원 합격통지서를 받고 나서, 회사의 퇴사를 마무리하였다.

대학원에서 석사학위를 시작하면서, 부모님과의 '조그마한' 갈등도 시작되었다. 아버지, 어머니 모두 어렵게 사신 분들이라, 학문이라는 거창한 무언가를 위해 매달 꼬박꼬박 통장에 들어오는 월급을 마다하는 아들의 행위를 전적으로 이해하시긴 어려웠던 것 같다. 특히 이러한 생각은 어머니가 더 심했다. 부모님 두 분 다 어릴 때부터 워낙 어렵게 사신 분들이라 배움이 길지 않으셨지만, 아들의 가방끈이 더 길어지는 것에 조금의 가중치를 더 두신 아버지와 다르게, 어머니는 실물경제에서 누락된 아들이 자칫 경제적 도태자가 될까 봐 내심 초초하신 듯했다.

대학원에 입학한 뒤 5년의 시간이 지난 2011년, 우여곡절 끝에 박사학위를 취득했다. 학위수여식이 되어서야 처음 아들이 다녔던

학교에 아버지와 어머니, 동생과 이모가 함께 자리했다. 나는 박사 가운을 입고 사진을 한컷 박고 나서, 부모님께 박사 가운을 입혀드리고 싶었다. 어머니는 한사코 아들의 박사 가운을 마다하셨지만, 아버지는 한번 찍어보자며 아들이 입혀드리는 박사 가운을 흡족하게 걸치셨다. 양쪽 팔에 세줄이 박힌 묵직한 박사 가운이 충분한 보상이 되긴 어렵겠지만, 힘들게 사셨던 아버지의 지난날에 대한 조금의 보상이 되었으면 했다.

나와는 사뭇 다른 여동생. 나보다 6년 늦게 태어난 여동생도 근면한 청소년기를 보냈다. 155cm에 40kg 후반대의 체구를 가진 자그마한 이 친구는 나와 나이 차이가 많이 나는 통에 내가 국민학교를 다닐 때, 유치원생이었고, 내가 고등학교에 입학했을 때, 초등학교를 다녔다. 이 어리다고만 생각했던 동생이 내가 군대를 다녀와 복학하고, 세월이 지나 대학 4학년이었던 2004년에 이르러 비로소 대학생이 되었다. 같은 대학생 신분이 되어 동네 어귀의 포장마차에서 같이 소주를 한잔했는데, 이때 세상사는 이런저런 이야기를 나누며 나는 동생이 더 이상 '그 어렸던 아이'로 생각되지 않았다.

내가 순발력을 바탕으로 일을 처리하던 것과 달리, 내 동생은 느긋함을 무기로 묵직하게 일을 처리하는 성향이다 보니, 나와는 결이 많이 달랐다. 우리 가족은 동생을 '나무늘보'라 칭했는데, 작고 조그마한 외모에 느릿느릿한 성격까지 여간 답답한 게 아니었다. 하지만 동생은 우직하게 자신의 길을 걸어갔고, 조금씩 나보다 더 단단한 성인이 되어가고 있었다. 사범대를 졸업한 동생은 몇몇 길을 돌아와 고등학교 선생님으로 근무 중이다. 나에겐 한없이 어려

보이는 동생이 누군가에게 '선생님'으로 불리고 있는 것을 보면, 인격적으로는 나 보다 나은 이로 성장하고 있는지도 모르겠다.

아버지가 칠순 즈음이 되시면서, 슬슬 우리 가족은 부모님의 은퇴에 대한 이야기를 나누기 시작했다. 사실은 은퇴를 하셨어도 진즉 은퇴를 하셨어야 했다. 어머니는 노안이 심하게 오셔서 가까운 것을 자세히 볼 수 없으셨기 때문에, 조만간 그 바닥을 정리하려고 하셨다. 그럼에도 불구하고 신기하게 미싱의 그 조그마한 바늘에 실을 기가 막히게 꿰시는 것을 보고, '눈 나쁜 거 맞냐'라고 여쭤보면, 평생 해온 감으로 끼는 거라 하셨다. 아버지는 물리적인 힘을 써야 하는 직업 특성상 칠순이 되어가면서 슬슬 체력적 한계가 오는 듯했다. 그럼에도 아버지는 타일 기공의 일당에 취해 그 일거리를 놓지 못하셨다.

부모님의 은퇴를 생각하면서, 나는 종종 현실적인 은퇴자금에 대해 여쭤보았다. 우리 가족은 가족의 경제적 문제에 대해 나름 거리낌이 없었기 때문에 그런 질문이 그리 어렵지는 않았다. 아버지는 다시금 본인이 그간 타일을 통해 저축해 놓은 자금을 자랑스럽게 이야기하시면서 말씀하셨다.

"야! 우린 걱정하지 마, 늙어서 쓰려고 그렇게 열심히 벌은 거니까. 너네만 잘 살면 돼."

"그래도 혹시 조금이라도 도움이 필요하다거나 하면 말씀하세요. 나도 알고 있어야 되니까."

이런 이야기를 할 때마다 나는 도움을 드리겠다는 건지 아닌지, 아리송하게 끝맺음을 하곤 했다.

...

잠시 부모님의 벌이에 대한 집착 같은 책임의 근원이 무엇일까 생각했다. 그 이유를 찾으려고 할 때마다 아버지, 어머니뿐 아니라, 나와 내 동생의 모습이 함께 떠올랐다. 따듯한 말을 건네는 여타의 가족들과는 달랐지만, 우리는 누구보다도 서로를 치열하게 응원하는 가족이었다. 아버지 어머니의 헌신에 가까운 희생 덕분에 내가 있고, 내 동생이 있었다. 아버지의 타일과 어머니의 미싱으로 나의 '박사학위'와 내 동생의 '교원자격증'이 만들어질 수 있었다.

이러한 상황에서도 어머니의 태연하게 '일을 가셨다'는 말을 들으며 곰곰이 생각해보니, 나는 세종에 번듯하게 마련된 내 개인 사무실에서 창밖으로 잔잔하게 비단처럼 흐르는 '금강'을 바라보며 어머니께 전화를 하는 중이었다. 내 동생은 학교 선생님이라는 특성상 쉬이 '휴가'를 쓸 수 있는 상황이 되지 못했다. 나도 내 동생도 '출근'했다. 애꿎은 어머니에게만 성질을 부렸다. 부모님이 편찮으셔도 우리는 당장 출근을 했다. 또 다른 집착 같은 책임감인지, 방관인지 모를 이 비린내 나는 현실 앞에 내 기분이 조금씩 어둡고 무거워졌다.

갑자기 '나무 심기'의 달인인 스피노자가 떠올랐다. 스피노자가 내일 지구가 멸망해도 한 그루의 사과나무를 심겠다고 한 것은 미래의 희망에 기대를 걸었던 것일까? 아니면 미래를 포기한 자포자기의 심정이었던 것일까?

다음날인 15일이 되어서야 아버지는 PCR음성 확인 문자를 들고, 어머니와 함께 다시 B대학병원을 찾으셨다. 여느 드라마에서 보던 것과 같이 의사는 아버지의 늦은 방문을 질책하셨다고 했다. 곧바로 입원절차가 진행되었고, 배에 찬 복수를 제거하기 위해 배에 관을 박는 시술이 진행되었다.

아버지의 입원과 함께 멈추지 않았던 타일 작업이 멈췄다. 어머니는 근 50년간 돌렸던 미싱을 멈추셨다. 그래도 우여곡절 끝에 아버지가 입원을 하셨다고 하니 무언가 일이 반쯤은 해결된 것 같았다.

…

다음날인 16일 아버지는 '담도암'을 판정받으셨다.

#3. 하얀거탑, 장준혁도 갖지 못한 28%

"아버지... 암 이래.. '담도암'."

'간담췌'. 간, 담도, 췌장의 줄임말인 '간담췌'는 모두 복부의 내장과 관련한 기관을 일컫는다. '하얀거탑', '슬기로운 의사생활' 등 다수의 의학드라마에서는 이 '간담췌외과'가 등장하는데, 하얀거탑의 장준혁('김명민' 분), 슬기로운 의사생활의 이익준('조정석' 분)은 이 간담췌외과의 교수로 등장해 신들린 연기를 보여주었다. 주로 뛰어난 의술을 가진 천재적인 의사가 간담췌외과의 교수로 등장하는 것은 간, 담도, 췌장을 다루는 것이 결코 쉽지 않은 것임을 의미하리라.

이 기관에 발생하는 암은 모두 높지 않은 '5년 생존율'을 가지는 무서운 암들이다. 많은 분들이 평소 간암, 췌장암에 대한 이야기는 다양한 매체를 통해 접해보셨을 것이라 생각된다. 술을 많이 드시는 분이나 스트레스를 많이 받으시는 분들은 '간 건강 조심하라.'며 안부를 전하셨을 테고, 극악의 생존율로 유명한 '췌장암'의 경우 멀리 애플의 '스티브 잡스'나, 우리나라 월드컵 영웅인 '유상철' 전 감독의 경우로 많이 조명되면서 사람들의 뇌리에 깊이 남아있다.

평소에 음주를 즐겨하시던 덕에 아버지의 몸에 무리가 왔을 때, 우리는 처음 '간암'을 의심했었다. 아버지가 병원에 입원하시면서 나는 스마트폰을 켜고 간암에 대해서 한동안 구글링을 했다. '혹시 내가 간을 이식해야 한다면, 할 수 있을까?'와 같은 쉽지 않은 결정을 미리 상상해 보면서 말이다.

상대적으로 많이 알려진 간암, 췌장암에 비해 이름도 생경한 '담도암'의 존재를 아버지의 병환을 통해 처음 알게 되었다. 더 정확히는 이런 기관이 있는지도 몰랐다. '담도'는 간에서 만들어지는 담즙을 받아 십이지장으로 보내는 작은 기관인데, 이 기관에 악성종양이 만들어지는 경우 담도암이 된다. 더욱이 놀라운 것은 담도암의 경우 그 원인을 알 수 없다고 했다. 죽을지도 모르는 병인데 그 원인을 알 수 없다니... 담도암의 존재는 알았는데, 그러면 그 예후가 어떠한지 알아봐야 했다.

'28%.'

내가 찾아본 가장 높은 5년 생존율의 수치가 그 '28%'였다. 3명 중 1명이 채 살아남지 못하는... 담도암은 췌장암 다음으로 낮은 생존율을 보이는 극악의 암 중 하나였다. 아이러니하게도 앞서 이야기했던 하얀거탑의 간담췌 의사였던 장준혁은 본인의 야망이 절정에 다다를 무렵 이 담도암으로 생을 마감했다. 당시 하얀거탑의 PD는 장준혁의 사인을 담도암(담관암)으로 정한 것에 대해 다음과 같이 인터뷰했다.

'... 간암은 흔한 암이어서 배제됐다. 치료가 힘들고 사전 자각 증상이 없는 것이 담관암으로 낙점된 배경이다' (배익현 PD, 중앙라이프. 2007.3.13. "드라마 속 의사들이 걸린 병" 발췌)

나의 '그래도 아닐 거야'하는 예상과는 다르게, 아버지의 암 소식을 처음 들었을 때 상대적으로 큰 느낌이 없었다. 그것이 이미 어느 정도는 암을 예상했었기 때문인지, 아니면 회사에서 업무 중에 전화로 암 판정을 들었기 때문인지는 모르겠지만, 그냥 그랬다. 아마도 막연히 그 28%의 사례가 될 수 있을 것이라는 생각이 강했던 것 같다.

회사 업무를 마치고 집에 돌아오는 순간부터 차츰 몸이 무거웠다. 7시쯤 아내와 식사를 마치고 다시 마음을 다잡았다. '내가 그래도 장남인데, 내가 더 힘들어하면 안 된다. 힘들어하실 아버지, 어머니를 위로해야 한다.'는 생각이 들었다. 어머니께 전화를 드렸다.

"아빠는 조금 어떠셔?"

"시술하고 조금 괜찮아지긴 하셨는데... 지켜봐야지..."

생각보다 담담하게 이야기하시는 어머니의 목소리를 듣자마자, 갑자기 가슴속에서 울컥하는 것이 올라왔다. 나는 아내와 아이들 앞에서 눈물을 보이고 싶지 않아, 안방에 들어가 침대에 누웠다.

"아빠가... 흑.. 너무.. 불쌍해..."

갑자기 터져 나온 울음에 말인지 흐느낌인지 모를 알 수 없는 소리가 내 입에서 나오기 시작했다.

"그렇게... 평생... 흑.. 일만 하시더.. 니.. 흐흑..."

갑자기 아버지가 너무 불쌍했다. 이제 좀 인생을 즐기시며 쉬실 때가 되셨다 싶었는데... 보름 뒤 7월 1일이면 칠순이고, 맛있는 식사대접도 해야 하는데... 평생 일만 하시더니 암이라니. 내 거친 울음소리에 묻혀, 대화를 더 지속할 수 없었다. 그런 내 반응에 수화기 너머 어머니는 잠시간 침묵 후, 오히려 더 침착해진 목소리로 말씀하셨다.

"괜찮아... 검사해보고, 잘 치료하면 될 거야.. 한번 이겨내 보자."

어머니를 위로하려고 전화를 걸었는데, 어머니는 오히려 아버지의 병세 앞에 아이처럼 우는 나를 위로하셨다.

아버지가 담도암 판정을 받고, 그 암의 현실적인 무서움을 알게 되고 나서는 나는 28% 보다는 72%인 '죽음'을 그려보지 않을 수 없었다. 대표적인 절대 불변의 진리, '사람은 누구나 죽는다'. 이 단순하고 명쾌한 진리에는 단 하나의 예외도 존재하지 않는다. 태어날 때부터 우리는 서서히 죽는다. 누구나 언젠가 죽는다. 그래도 우리가 생각한 죽음의 시기와 형태가 이런 것은 아니었다.

아버지의 '죽음'을 상상하기 시작하자, 아버지가 얼마나 무서울까 생각이 들었다. 죽음을 이렇게 실제적으로 상상해본 적은 없다. 2005년 친할머니가 돌아가셨을 때, 처음 사람의 죽음을 목도했다. 그때도 이런 느낌은 아니었다.

생각이 꼬리에 꼬리를 물고, 이내 그 죽음은 나의 '죽음'을 상상하게 만들었다. 단순히 상황의 치환이 아니다. 나는 엄연히 아버지의 유전자를 물려받은 아들이었고, 이 원인모를 암이 내게도 얼마든지 올 수 있다는 생각이 들었다. 자신의 몸이 점점 깊은 심연으로 들어가는 느낌. 벗어날 수 없는 죽음의 현실을 직접적으로 맞닥뜨린 느낌. 심지어, 그 원인을 알 수도 없는 마치 '교통사고' 같은 암. 왜 나에게 이런 불행이 닥치는가? 원망, 회한, 두려움, 슬픔 등 감정을 표현하는 온갖 부정적인 단어들이 한꺼번에 몰아쳤다.

내가 지금 죽으면 무엇이 가장 아쉬울까? 대답은 어렵지 않았다.

'나의 가족'. 아무것도 모르는 어린 두 딸과, 손이 많이 가는 내 아내를 영영 볼 수 없다는 아쉬움, 남은 그들이 나를 볼 수 없다는 아쉬움.

…

나는 2006년 회사를 퇴직하고 진학한 대학원에서 지금의 아내를 처음 만났다. 2006년 가을부터 나는 대학원의 석사생으로 지도교수님이 진행하는 한 수업의 조교였고, 당시 아내는 학부 4학년의 학생이었다. 아내가 학부를 졸업하고 2007년 대학원에 입학하면서, 다소 유치하지만 2007년 1월 26일을 '오늘부터 1일'로 정하고 예의 그 '캠퍼스 커플'로 만남이 시작됐다.

나보다 다섯 살이 어린 아내는 명석한 두뇌와는 다르게 여린 감성의 소유자이다. 어려서부터 훌륭한 부모님 밑에서 부족함이 없이 자랐고, 뛰어난 학업성적을 보여왔으니, 장인 어르신, 장모님께서도 그런 딸아이를 금지옥엽, 손에 물 한 방울 안 묻히고 키우셨다. 만남이 지속되면서 결혼에 대한 이야기가 오고 갔으나, 아내는 그 좋은 머리만큼이나, 현실적이었다. 아무것도 없고 미래도 불투명한 대학원생에게 결혼은 사치였다. 우리의 결혼은 어느 정도 기반이 마련된 후로 연기되었다.

나와 아내는 2011년 대학원에서 같은 날 박사학위를 수여받고 졸업하였다. 아버지가 박사 가운을 입으시던 그날, 내 아내도 곁에 있었다. 우리는 같은 박사 가운을 입고 사진을 멋들어지게 찍었다.

2012년이 되어 아내가 공공기관에 취업하였고, 내가 지금의 연구원에 입사하면서 우리의 결혼이 가시화되었다.

2013년 1월 26일. 우리는 만난 지 정확히 6년이 되는 그 '1월 26일'에 결혼식을 올렸다. 우리의 결혼식은 '주례 없는 결혼식'으로 진행했는데, 정확히는 양가 아버님 두 분께서 주례를 대신하는 덕담을 해 주셨다. 당시 나름 '파격적'이었던 주례 없는 결혼식을 감행한 이유는 무엇보다 우리를 잘 알지도 못하는 분들의 좋기만 한 덕담보다는, 평생을 옆에서 봐오신 부모님께 그 자리를 내어드리고 싶었다. 수많은 하객들 앞에서 덕담을 하셔야 하는 자리는 자칫 부담일 수 있었다. 국내 굴지의 기업에서 임원까지 역임하신 장인어른이야 걱정이 덜했는데, 아버지는 부담을 가지실까 봐 내심 걱정했다. 나의 우려와는 다르게 아버지는 이를 흔쾌히 수락하시고, 나의 예상보다 훨씬 세련된 언변으로 우리의 결혼을 축하하는 덕담을 해주셨다. 양가 아버지의 덕담은 그날의 하이라이트였다. 2013년과 2015년 두 딸아이를 새로운 가족으로 맞이하고 우리도 또 다른 '완성형 4인 가족'이 되었다. 2006년 대학원에서 처음 봤던 이십 대 중반의 그 여린 친구는 2021년이 되어 이제 마흔을 바라보는 두 아이의 엄마가 되었다. 9살, 7살의 세상 철없는 두 딸아이는 오늘도 무럭무럭 자라고 있다.

지금 내가 죽으면 그들은 남편과 아빠 없는 슬픔을 느낄 수 있을까? 두 딸은 아빠가 죽는다는 게 무엇인지는 알까? 그 어린 두 딸을 키워야 하는 여린 아이 엄마는 슬픔을 극복하고 아이들을 잘 키울 수 있을까? 보다 현실적으로는 애들 키우는 비용은 충분할까?

아내 혼자 애들 양육비는 벌 수 있나? 공공기관 벌이야 뻔한데 가능한가? 내가 그간 월에 약 40만 원씩 지출하며 유지하고 있는 보험은 암진단비나 수술비, 치료비는 보장되어있나? 사망 시 비용은 얼마가 잡혀있지? 갑자기 내가 인생을 잘 준비하지 못한 게 아닌가 하는 걱정이 밀려왔다. 죽음에 대한 무서움은 나의 몫이다. 그런데 남은 가족들을 돌볼 수 없다는 무서움은 감당하기 어려웠다. 안된다!! 아이들이 제 밥벌이를 할 수 있을 때 까진 살아야겠다! 무슨 수를 써서든 살아야겠다!

나와 내 동생은 이미 다 큰 성인이었지만, 아버지도 비슷한 감정이셨던 것 같다. 나는 분가하여 하나의 가정을 이루었으니, 아버지의 걱정거리에서는 그나마 멀어졌지만, 동생은 제 앞길을 해결할 능력을 갖추었음에도 불구하고 아직까지 짝을 찾지 못한 미혼이라는 것이 아버지에겐 못내 눈에 밟히셨을 게다.

"그래도 [아들]은 장가를 보내서 괜찮은데... [딸]은 시집을 못 보내서 못내 아쉽네..."

아버지는 자신의 자식이 '완성형 가족'을 만들지 못한 것을 아쉬워하시며 어머니께 말씀하셨다고 했다.

...

그 말씀을 하신 그때, 아버지도 그 72%의 '죽음'을 처음 상상하셨던 것 같다.

#4. 내가 할 수 있는 것들

"이 병원에서 계속 치료하실 건가요?"

아버지가 입원하신 B대학병원에서는 아버지의 병을 담도암으로 진단하고 나서, 추후 당 병원에서 계속 치료할 것임에 대한 의향을 물어왔다. 진단되는 암의 종류에 따라 그 분야의 전문가로 불리는 의사분이 전국 각지에 흩어져 계시니, 어찌 보면 환자의 의향을 현실적으로 묻는 질문이었다.

우리 가족은 이를 결정하기 위한 조촐한 회의를 유선으로 개최했다. 국내 최고의 대학병원인 S대학병원, 그 분야에 최고 권위자가 있다는 Y대학병원과 A병원까지 몇몇 병원이 우리 가족의 입에 올랐다가 내려갔다가를 반복했다. 그러나, 우리의 많은 논의에 대한 최종적인 결정은 아버지의 몫이었다. 아버지는 코로나19 상황으로 인한 번잡스러움, 그간의 병증 악화로 인한 고통과 함께, 이제 와서 병원을 옮길 때 발생될지 모르는 기약 없는 기다림과 비용 등을 걱정하셨다.

"그냥 여기서 하자. 죽든 살든 여기서 해볼게."

정확히 그렇게 말씀하셨다. 아버지는 나름 확고하게 말씀하셨지만, 우리 가족은 못내 아쉬움을 숨길 수 없었다.

우리가 아버지의 의사를 B대학병원에 알리자, 병원에서는 후속조

치로 아버지 몸의 정확한 상태 진단을 위한 '정밀검사'를 진행하였다. 이 검사를 통해 암이 얼마나 전이되었는지, 수술은 가능한 상황인지 등 보다 구체적인 몸상태를 점검할 수 있다고 하였다. 담도암의 경우 비교적 상황이 '좋은 경우에만' 수술이 가능하다고 했기 때문에, 이제는 오히려 수술할 수 있는 상황이 되길 빌었다. 정밀검사 결과는 며칠이 지나야 알 수 있었다.

아버지의 입원, 치료 지속 등 초반에 결정되어야 하는 사항이 비교적 빠른 시일 내에 결정되자, 내가 할 수 있는 현실적인 도움을 찾아보려고 했다. 그러나 아무리 찾아봐도 내가 드릴 수 있는 도움은 극히 제안적이었다. 병원비용이나, 안부 전화 등은 손가락 몇 개로 해결할 수 있는 문제였다. 옆에서 도움을 드리고 싶었지만, 코로나19에 대한 국민적 공포감이 점차 커지고 있는 상황이었기 때문에, 대형병원 면회가 보호자 1인으로 제한된 상황이었다. 그 자리는 어머니가 메우셨다. '코로나가 우리 가족에게도 영향을 미치는구나.' 싶었다.

국내에서 막 접종을 시작한 코로나 백신을 맞으면 면회를 자유롭게 할 수 있지 않을까 싶어, 이른바 '노쇼백신'인 잔여백신을 맞아보기로 했다. 그것이 그 당시 내가 할 수 있는 가장 현실적인 대응이었다. 스마트폰을 들고 새로고침을 연속했다. 매크로 수준의 새로고침 끝에, 목요일인 6월 17일 오후 즈음에 연구원 근처의 병원에서 주인 잃은 백신을 예약할 수 있었다. 세상을 얻은 것처럼 기뻤다. 회사에 공가 신청 후 백신 접종을 마치고, 집에 돌아와 쉬었다. 새벽 1시쯤 되어 심각한 오한으로 몸을 움직일 수가 없었다.

다음날인 18일 금요일 오전에 잡혀있는 정부부처 공무원과의 회의를 위해 몸을 일으켰는데, 온몸에 화끈한 열이 느껴졌다. 그래도 회의를 취소할 수가 없어서 움직였다. 몇 시간 회의를 했는데, 무슨 말을 했는지 기억이 흐릿했다. 회의 후 불편한 몸을 이끌고 회사로 돌아왔다. 그날은 하루 종일 정신이 몽롱했는데, 이게 백신 후유증인지 아버지의 병세로 인한 스트레스인지 알 수 없었다.

의사도 사람이기에, 대학병원도 주말은 특별한 소식을 전해주지 못했다. 우리 가족은 아버지의 정밀검사 결과가 궁금했으나 주말에는 이 결과를 도통 알 수 없었다. 아무것도 오지 않는 택배처럼 다음 주 초가 되길 기다려야 했다.

다음 주 화요일인 22일이 되어서야 어머니와의 통화로 진단검사의 일부가 전해졌다. 당시 전해 들었던 수많은 검사명을 일일이 외울 수는 없었다. '초음파'와 'CT' 까지는 많이 들어 봤었는데, '양성자 방출 단층촬영'이라는 단어부터는 나의 무지함이 슬슬 답답하게 느껴지기 시작했다. 인터넷 포털로 검색해보니 대충 암이 어느 정도 퍼져있는지 살펴보는 검사 같았다. 중간중간 모르는 단어를 접하면서 아 이래서 '집안에 의사 하나쯤 있어야 한다.'는 거구나 싶었다.

"그래도, 수술이 가능하다고 하시네."

복잡한 단어 뒤에 희망의 단어가 있었다. 일단 수술이 가능하다는 것은 무언가 고무적인 것 같았다. 수술은 무척 힘든 수술이 될 것이라고 했다. 담도암의 위치를 고려할 때, 간, 십이지장, 췌장의 일부를 절제해야 하고, 이를 다시 연결하는 대수술이 될 것이라 했다.

의사 선생님의 집도 가능한 날짜를 확인해서 빠른 시일 내로 알려 준다고 하셨다.

이 수술이 얼마나 복잡할지, 수술 이후에 얼마나 복잡한 차후 과정이 있을지는 몰랐다. 우리는 모든 게 처음이었으니까. 일단 바짓가랑이에 붙은 불부터 꺼야 했다. 비록 예후가 좋지 않은 암이지만 수술이 가능하다는 것이 다른 케이스에 비해 훨씬 긍정적인 시그널을 주는 것 같았다. 그래도 오랜만에 힘이 조금 났다.

수술이 가능하다는 소식과 함께, 어머니는 내게 몇 가지 필요한 사항을 부탁하셨다.

첫 번째는 아버지의 '병환을 알리는 것'이었다. 아버지가 병원에 입원하시고, 지금에 이르기까지는 우리 가족만의 문제였다. 어떻게 상황 전개가 될지 모르는 상황에서 아버지의 친형제자매 분들께는 소식을 알려야 할 때가 되었다. 앞서 이야기했듯이 아버지는 형제자매분들이 많이 계시다. 그 9남매 중 위에 계신 세 분의 누님은 이미 돌아가셨고, 아버지를 포함해 여섯 명이 생존해 계셨다. 하지만, 친인척에게 소식을 전하는 과정은 맘처럼 쉬운 과정은 아니었다. 어머니는 형제자매 중 일부를 담당하기로 했다. 내게는 큰 아버지의 큰아들인, 나보다 세 살 많은 '사촌 형'에게 소식을 전하는 것을 부탁하셨다.

유교적인 우리나라에서 나는 번듯한 '유교 보이'로 자라지 않았다. 그중에서도 특히 '장유유서'를 별로 좋아하지 않았다. 그것이 어릴 적 김경일 교수의 <공자가 죽어야 나라가 산다>를 읽어서 그런 것인지, 아니면 내가 그 유명한 'X세대'여서 그런 건지, 그것도 아니면 그냥 남들과 다르게 조금 모난 성격 탓인지는 모르겠지만, 나보다 나이가 많다고 해서 모두 나보다 나은 사람은 아니라는 생각을 많이 했었다. 그중 특히 심한 것이 바로 '형'이란 단어였다. 나보다 단순히 나이가 많은 남자 사람을 '형'이라 부르고 싶지 않았다. 아마도 내가 그런 생각을 갖게 된 큰 이유 중 하나는 내가 아는 사람 중 가장 '형'다운 '사촌 형'을 어릴 때부터 보고 자랐기 때문이라 생각된다. 사촌 형의 모습을 바라보면서 '모름지기 형은 저래야 하는구나.' 하는 생각을 많이 했었다. 그런 사촌 형의 모습을 닮지 못한 사람은 내겐 '형'이 아니었다. 그만큼 사촌 형은 내겐 의지할 수 있는 사람이자, 닮고 싶은 사람 중 하나였다. 또한 사촌 형은 우리 방대한 친척들의 소식을 전달해주는 역할도 담당하고 있었다. 어머니도 그런 부분을 잘 알고 계셨기 때문에, 내게 사촌 형에게 소식을 전하라고 하셨으리라.

사촌 형에게 전화를 걸었다.

"여보세요?"

"형..."

"어. 그래. 잘 지냈지?"

예의 그 잘 지냈다는 말이 쉬이 나오지 않았다.

"어... 어떻게 말해야 할지 모르겠는데... 아빠가... 몸이 조금 안 좋으셔."

"어? 작은아버지가? 어떻게 안 좋으신데?"

"어... 암이시래..."

또 눈물이 나오려 했다. 어느 정도 현실을 받아들였다고 생각했는데, '암'이라는 단어를 입 밖으로 또 꺼내 든 순간, 내 마음은 여전히 그 단어를 부정하고 있었나 보다.

"암?? 무슨 암?"

"담도암이라고... 나도 잘 모르는 암인데, 예후가 좋은 병은 아니야..."

"어... 그래... 그래서 상황은 어떤데?"

"좋지 않지 뭐... 일단 병원에 입원은 하셨고, 수술은 가능하다고 하셔서 수술 날짜 잡는 중이야... 수술을 하려고 하니 형한테는 알려야 할 것 같아서..."

사촌 형도 갑작스러운 전화통화에서 마땅히 좋은 단어를 찾을 수는 없었던 것 같다. 무언가 뒤죽박죽인 전화통화가 계속 이어졌다.

"어떻게 그렇게 된 거야? 원래 안 좋으셨어?"

"몸이 조금 안 좋으셔서 병원에 갔었는데, 암 판정을 받으셨어..."

우리 둘은 그렇게 좋지 않은 소식을 전하고 받을 수밖에 없었다.

"어... 그래... 일단 알았고... 상황이 바뀌는 것 있으면 또 전화하고, 나도 아버지하고 고모님들에게 이야기를 좀 할게... 그래 힘내고..."

"어... 형 들어가."

눈시울이 붉어지고, 마음이 또 무거워졌다.

두 번째 부탁은 '지정헌혈'이었다. 코로나19로 인해 전국의 혈액 사정이 좋지 못했고, 아버지의 수술을 진행하려면, 적잖은 혈액이 필요한 탓에, 가족을 대상으로 하는 헌혈이 필요하다는 것이었다. 군대 시절 이후 20년이 넘는 시간 동안 헌혈에 무관심했어서, 어떻게 해야 되지 싶었지만 헌혈이야 뭐가 어렵겠나? 가서 팔만 잘 들이대면 되는 것을...

세 번째는 내가 자처한 것인데, '보호자 교대'였다. 아버지야 환자라 그렇다 쳐도, 아버지와 같이 병원에 들어가신 어머니는 그 이후에 며칠이 지나도록 밖을 나오지 못하고 있으셨다. 코로나 상황으로 보호자가 밖에 나갔다가 다시 들어오려면 PCR 검사를 다시 받아야 했다. 어머니는 PCR 검사를 다시 받는 게 불편하시기도 했고, 무엇보다도 하나뿐인 남편의 보호자를 놓지 못하셨다. 그 불편한 병원의 간이침대에 누워 며칠을 보내셨을 생각을 하니, 어머니도 적잖은 나이에 골병이 드실까 봐 걱정이 들었다.

나는 세종에서 직장을 출퇴근해야 하는 바람에 평일은 시간 내기가 쉽지 않았고, 주말인 토요일, 일요일을 빌어 보호자를 교대하자고 말씀드렸다. 어머니는 한사코 괜찮다고 말씀하셨지만, 내가 괜찮지 않았다. 보호자 교대를 위해 서울에 올라가기로 하였다.

나는 두 번째, 세 번째 미션을 한꺼번에 치르기 위해, 서울의 B대학병원 근방의 '헌혈의 집'을 토요일에 적절한 시간대로 예약하고, 서울 가는 기차표를 예약했다. 방문 전날인 금요일에는 보호자 교대를 위해 48시간 동안 유효한 PCR 검사를 태어나서 처음 받았다. 내가 미리 접종한 코로나 백신은 아무짝에도 쓸모가 없었다.

다음날인 토요일은 아침부터 급하게 움직여야 했다. 서울로 가는 KTX가 8시 50분에 출발하기 때문에 집에서 늦어도 8시경에는 출발해야 했다. 오송역에 도착해서 서울로 가는 KTX에 몸을 실었다. 9시 40분 즈음 서울역에 도착해서, 지하철을 갈아타고 목적지역으로 향했다. 지하철이 없는 세종을 벗어나, 오랜만에 지하철을 탔더니, '지하철이 좋구나'하는 생각이 속없이 터져 나왔다.

목적지의 지하철역에 10시 30분 즈음 도착해서 2번 출구에 있는 헌혈의 집으로 향했다. 수술을 받으셔야 하는 아버지를 위해 '지정헌혈'을 신청했다. 지정헌혈을 하기 위해서는 특정인의 이름과, 병원, 병실 호수 등이 필요했다. 이는 내가 뽑은 피가 지정되는 사람을 위해 쓰인다는 의미인데, 나와 '성'이 같은 지정인의 이름을 보며, 헌혈을 접수하는 간호사분은 '어떤 느낌이 들까?' 싶었다. 누구나 누군가를 위해서 헌혈을 하지만, 모두가 자신의 친족을 위해 헌혈을 하지는 않는다. 대부분의 사람들은 헌혈을 하며, 자신의 피 한 방울이 다른 사람에게 주어질 수 있다는 기쁨을 느끼겠지만, 지정헌혈을 하는 사람들은 헌혈을 통한 기쁨보다는 '간절함'이 더 클 것 같았다. 이럴 땐 '형제자매가 조금 더 많았으면 좋았겠다.' 싶은 생각이 뜬금없이 들었다.

헌혈 의자에 앉아 헌혈을 시작했다. 헌혈 중에 나눠주는 기념품을 동네 잡화점에서 사용할 수 있는 5천 원짜리 상품권 2장으로 고르고, 속 없이 '이걸 어디서 쓰지'라고 고민하면서 시간을 보냈다. 헌혈 도중 동생한테 전화가 걸려왔다.

"응. [동생]아. 지금은 헌혈 중이니, 30분 뒤에 헌혈의 집 1층에서 볼까?"

"어. 그래 알았어."

약 30분가량의 시간이 지나 헌혈을 마무리하고 팔에 큼지막한 '반창고'를 붙이고 나와, 헌혈의 집 앞에서 동생을 만났다. 동생을 본지 한 달 정도 됐나? 우리 둘은 약 10여분을 걸어 B대학병원 근처의 한 커피숖에 앉았다. 아버지가 식사시간이셨기 때문에, 아버지를 만나기 위해서는 시간이 조금 남아있었고 오랜만에 만난 동생과 잠시 시간을 보내기 위해 커피숖의 빈자리를 찾아 앉았다.

이미 일주일이 지난 시점에 만난 자리라서 그런지 우리 둘은 생각보다 감정이 격앙되진 않았었다. 차분히 현실을 논했다. 그간의 아버지의 건강상태며 병원 선택의 아쉬움, 우리들의 마음고생과 앞으로의 대처방안 등에 차분히 이야기를 이어갔다. 몇십 분이 지나자 어머니가 전화를 주셨다. 병원 1층으로 나갈 테니, 일단 식사를 같이 하고 보호자 인수인계를 하자는 것이었다.

식사 이후에는 어머니께서 먼저 병원에 들러 아버지를 모시고 병원 1층으로 나오셨다. 이 사태가 발생하고 처음 아버지를 뵈었다. 주렁주렁 달려있는 링거 주사와 조금 홀쭉해진 것을 제외하면, 머릿속으로 수백 번 생각했던 초췌한 행색보다는 훨씬 나아 보였다. 동생한테 들었던 황달 증상인 누런 피부색도 없었다. 많이 좋아진 거라고 했다. 여전히 눈자위는 노란빛이 감돌았고 눈동자는 탁했지만 그리 심하지 않은 거라고 자답했다.

다만 그 전보다는 조금 더 '늙어'보이셨다. 원래 아버지는 머리가 살짝 벗겨지고 백발인 것만 빼면 그리 늙어 보이진 않았는데, 한 달 만에 눈에 띄게 몸무게가 빠지고 나니, '70'이라는 나이를 실감하게 해 주었다.

"괜찮으셔?"

"괜찮아! 많이 괜찮아졌어."

아버지는 나름 씩씩하게 대답하셨다. 우리는 병원 야외 1층에 놓인 의자에 앉아 소소한 이야기를 나눴다. '진즉 병원에 왔어야 했다.', '술을 줄였어야 했다.', '다른 병원은 어떻냐?'는 등 뻔한 이야기지만 우리 4인이 모여 나눈 회한에 가까운 이야기였다. 진행되는 이야기가 머쓱하셨는지 아버지가 어머니와 나에게 불쑥 이야기하셨다.

"당신은 이제 가. [아들]은 가서 보호자 변경 신청하고..."

"예... 알았어요."

원무과에 들러서 보호자 변경 신청을 했다. 어머니 이름을 지우고 내 이름을 등록했다. 바코드가 찍혀있는 주황색 종이 팔찌를 부여받았다. '000'이라는 성함 석자가 고딕체로 박혀있었고 바코드가 찍혀있었다. 끈끈이로 되어있는 팔찌를 손목에 둘렀다. 마치 콘서트 입장권처럼...

어머니와 동생과 작별인사를 하고 1층 엘리베이터로 향했다. 내가 보호자인데 이 건물은 아무것도 모르겠어서, 아버지가 보호자가 되셨다.

"몇 층으로 올라가면 돼요?"

"16층."

아버지는 짧게 이야기하셨다. 엘리베이터에 많은 환자며, 보호자, 간호사분들이 같이 탑승했다. '저들은 얼마나 사연이 많으신가?' 싶은 생각이 들었다. 아버지를 따라 16층에 다다랐다. 손목에 차여있는 밴드의 바코드는 16층의 병동으로 들어가는 열쇠 역할을 해 주었다. 병동 내부의 한 4인 병실에 다다르자, 벽면에 아버지를 포함한 4인의 이름과 만 나이가 적혔었다.

'000/ 68세'

생각해보니, 만 나이로는 아직 70에 이르지 못하셨다.

아버지의 침실은 입구로 들어서면 우측 창가 쪽에 놓인 자리였는데, 창가의 햇볕을 직접적으로 쬘 수 있다는 점에서 그나마 다른 자리보단 나아 보였다. 아버지는 병실에 들어서며, 몇몇 분에게 본인의 아들이라며 인사를 시키셨는데, 그중에 몇 분은 상황이 썩 좋아 보이진 않았다.

병원에서의 아버지는 특별하진 않으셨다. 가끔 창문 밖을 아무 말 없이 몇 분 간이나 멍하니 쳐다보셨는데 무슨 생각을 하시는지 알 수는 없었지만, 아버지의 눈이 여느 때 보다 더 깊어 보인 것은 내 기분 때문만은 아니었던 것 같았다. 간간히 아버지의 친구분들에게 전화도 걸려왔다. 주로 아버지의 속사정을 모르시는 분들의 안부전화에 아버지는 몸이 조금 안 좋아 병원에 있노라고 전하셨다.

아버지가 전화통화를 마무리하시고, 아버지의 핸드폰을 받아 든 나는 한껏 닳은 스마트폰의 케이스가 눈에 밟혔다. 핸드폰 케이스를 젖혀보니, 바탕화면에서 밝게 웃고 있는 아버지의 모습이 보였다. 2011년 내 학위수여식에서 박사 가운을 걸치고 밝게 웃고 계신 아버지의 모습이었다. 코끝이 시렸다. 내색을 많이 하진 않으셨지만, 그래도 인생에서 자랑스러웠던 장면 중 하나셨던 모양이다. 나도 가만히 창밖을 내다보았다.

보호자의 역할은 특별하지 않았다. 아버지는 불편하셨지만, 느리게나마 거동이 가능하셨고 그마저도 화장실에서 볼일을 보실 때나,

씻으실 때 정도만 이동하실 뿐 특별히 움직임이 잦지는 않았다. 내가 할 일이라곤 식사 때 식판을 치워드린다던가, 찾으시는 물건을 내어드리는 등 주변정리와 대소변을 보실 때 용량 점검, 맞으시는 수액이 비어있지 않게 관리하는 등의 아버지의 몸 상태 점검 정도였다. 이외에 주요한 임무는 간간히 말 동무를 해드리는 정도였다. 그나마 힘든 것은 밤에 잠을 자는 것이었는데, 병원의 접이식 간이 침대가 작기도 하였을뿐더러, 코로나19 상황으로 병실에서도 마스크를 쓰고 있어야 해서 잠을 잘 때는 은근히 성가셨다.

병원에서의 밤은 비록 불은 꺼져있지만, 모든 것이 계속해서 움직였다. 간호사 분들은 몇 시간 간격으로 수시로 왔다 갔다 하셨고, 환자들은 밤이 되면 이상하게 더 아픈 것 같았다. 아직 병원의 밤에 익숙하지 않은 나 같은 보호자들은 그들이 뒤척일 때마다 같이 뒤척였기 때문에, 제대로 잠을 청하기는 어려웠다.

자는 둥 마는 둥 아침이 되었다. 아침이 되면서 아버지는 몸무게 점검과 아침 운동을 위해 몸을 일으키셨다. 하루 종일 누워있다가 일어나시려니, 약간의 현기증이 있으셨던 것 같다. 잠시 링거 폴대를 잡고 가만히 서 계시다가 정신이 드셨는지, 느릿느릿한 걸음으로 화장실에 들러 소변을 보신 뒤에 일부러 병동 전체를 빙 둘러 체중계까지 천천히 걸어가셨다. 몸무게가 50kg 후반대를 가르켰으니 근 10kg 가까이 몸무게가 빠진 듯했다. 많이 드셔야 하는데... 빠지는 몸무게만큼 안쓰러움이 더해졌다.

그래도 아침식사로 제공되는 병원밥을 절반 정도는 드신 것 같았다. 남는 잔반은 악어새처럼 내가 먹어서 없애버렸다. 잠시 뒤, 10

시 즈음이 되어 어머니께 전화가 왔다.

"[아들]아 내가 지금 가니까, 한 30분 뒤면 도착할 거야. 도착해서 전화할 테니까 내려오면 돼."

"천천히 오셔도 되는데... 예. 알았어요. 이따 전화 주세요."

아버지께 어머니의 귀환 예정 소식을 전했다.

잠시 뒤, 시간이 되어 어머니께 전화가 왔다. 곧 도착할 예정이니, 내려와도 될 것 같다는 내용이었다. 나는 전날 갈아입은 옷을 주섬주섬 챙겨서 들고 온 가방에 넣으면서 아버지께 이야기했다.

"엄마 오셨데요... 내려 갈게요."

"그래... 고생했어."

아버지와 이야기하면서, 툭툭 튀어나온 핏줄이 가득한 아버지의 갈색 손을 쳐다보니 왠지 모르게 안쓰러웠다. 아버지의 손을 가만히 잡았다. 성인이 되고 나서 아버지의 손을 이렇게 잡아본 기억이 없었다. 마지막 인사를 건넸다.

"식사 잘하시고, 많이 드셔... 몸이 튼튼해야 수술을 받던 뭐를 하던 하지... 수술 날짜 잡히면 또 올게요."

"그래. 가라..."

그렇게 아버지와 짧은 하루를 마치고 병원 1층으로 내려왔다. 1층에서 만난 어머니는 알 수 없는 보따리를 양손 가득 안고 나타나셨다.

"뭐 예요. 그건"

"이거? 병원에서 쓸 이불, 베개, 내 반찬, 아버지 간식 등등 뭐 그런 거... 암튼 들어갈게, 고생했어 조심히 가고..."

어머니는 얼마나 길어질지 모르는 병원생활을 해나가기 위한 일종의 '군장'을 준비하셨다. 적에게 쫓기기라도 하듯이, 전투에 임하는 비장한 모습으로 어머니는 나에게 짧은 인사를 마치시고 '전우'를 구하러 씩씩하게 병원 안으로 들어가셨다.

…

나는 병원을 떠나면서 전날 헌혈 후에 붙인 그 커다란 반창고를 떼어냈다. 하루 만에 내 팔은 그 아픔보다도 훨씬 큰 퍼런 멍이 들어있었다. 내 마음도 그렇게 퍼렇게 멍이 든 것 같았다.

2부

희망과 절망의 롤러코스터

#5. 태어난 날, 다시 태어나는 날

날씨가 차츰 더워지고 있었다. 서울에 방문한 다음날인 28일 오후 1시경. 세종시 사무실 안에서 어머니에게 전화를 걸었다.

"여보세요..."

어머니의 목소리가 피곤해 보이신다. 내가 말했다.

"식사는 하셨어요?"

"어... 했어."

"회진은요? 회진 돌았어? 수술 날짜 이야기는 아직 없죠?"

"응... 아까 외과 선생님이 왔었는데, 7월 1일쯤 이야기하더라..."

"3일 뒤? 7월 1일? 그날 아빠 생신인데?"

어머니는 잠시 정적을 두셨다.

"그래. 맞아..."

너무 갑자기 수술 날짜를 통보받으니 불안감이 엄습해왔다. 글자 그대로 불안했다. 특히나 우리 가족에게는 아버지의 수술 예정 날짜인 '7월 1일'이라는 숫자가 사실 조금 불안하였다. 2021년 7월 1일. 음력 5월 22일. 아버지의 생신이자 당초 칠순잔치가 예정되어 있던 그날에, 아버지는 담도암 수술을 위해 수술대에 오르시게 되었다. 아버지가 태어나신 그날, 예정대로라면 서울 모처의 호텔에서 맛난 산해진미를 듬뿍 드시고 있어야 할 그날에, 장시간에 걸친 대

수술을 받으러 수술실에 들어가야 한다는 것은 지금과 같은 상황에서는 무언가 불안한 느낌을 주기에 충분했다.

"생일날 다시 태어나라고 그러는가 보다..."

내가 이야기했는지, 어머니가 이야기했는지 정확하게는 기억이 나지 않지만, 우리 모두가 그렇게 생각했었다. 일단 수술 날짜가 잡히니, 무언가 알 수 없는 것이 성큼 다가온 느낌이 들었다. 점점 더워지는 날씨처럼.

수술 전날인 6월 30일 오전에, 어머니께 전화를 드렸는데, 아버지는 다음날 있을 수술 준비를 위해 바삐 움직이시는 중이었다.

"뭐하고 계세요?"

"어.. 내일 수술 때문에 준비하고 있어."

"준비라 할게 뭐 있어요?"

"팔 하고, 가슴... 여기저기에 바늘을 꽂아 놓으셨어."

아버지는 내일 있을 수술 때문에 가슴에 무슨 바늘을 꽂으셨다고 했다. 가슴에 바늘이라니? 가슴에도 바늘을 꽂나? 수술 전날에는 수술을 위해 몇몇 가지 준비를 해야 했는데, 그 흔한 금식이나 하는 줄 알았지... 사람을 살리기 위해 하는 다양한 처치가, 오히려 사람을 아프게 할 수도 있겠다는 생각이 들기 시작했다.

그날은 나도 무척 바빴다. 어머니와의 통화를 마치고, 오전 11시부터 원내에서 회의를 진행했다. 원내회의가 예상보다 길어져 점심식사시간을 넘긴 12시 30분까지 진행되었다. 회의 이후에는 그날 1시까지 정부 세종청사에 들려야 했어서, 회의를 마치자마자 곧바로 주차장으로 향했다. 가까스로 1시에 정부청사에 도착해, 2시 30분까지 과제 착수보고를 겸한 회의를 진행했다. 좁은 회의실에 앉아 과제와 관련한 분들과 한참을 떠들었더니, 잠시 아버지 생각을 지울 수 있었다.

회의가 끝난 후 회사로 복귀하는 중에는, 세종시에 있는 선별 진료소에 잠시 들러서 코로나 PCR 검사를 진행했다. 코로나는 여전히 심각했고, 병원에서는 PCR음성 확인 문자 없이는 병원 내 출입을 엄격히 금지하였다. 물론 외래환자 및 보호자의 경우에 있어 일부 예외는 가능하였지만, 기본적으로 환자 보호를 위해서는 PCR 검사 '음성'결과가 필요하였다. 다행히 사람이 많지 않아서 검사는 빠르게 마무리되었다. PCR 검사는 두 번째 받아도 여전히 익숙해지지 않았다. 회사에 복귀해서는 7월 1~2일 목, 금요일의 이틀간의 연차휴가를 냈다. 우리 회사의 연차휴가에는 명목상 '목적지', '사유'라는 항목이 존재했는데, 개인 휴가의 특성상 반드시 적어야 할 필요는 없었다. 연차휴가를 기안하면서 해당 항목을 뚫어지게 쳐다보다가, 그냥 아무것도 적지 않았다.

7월 1일은 아버지의 수술 외에도 서울에서 개인적으로 처리해야 하는 중요한 업무가 있었기 때문에, 서울에 일찍 올라가 오전 중에 일을 처리하고, 대략 12시~1시경이면 B대학병원으로 넘어갈 수 있도록 일정을 짰다. 바삐 움직여야 했고 잠도 잘 오지 않아서, 당일에는 새벽 5시경에 자리에서 일어났다. 오전 8시 30분 오송-수서간 SRT를 타기 위해 7시경에 집에서 나왔다. 오송역까지 가는 버스에서 선별 진료소로부터 문자가 도착했다. PCR 검사 결과가 통상 검사 후 다음날 아침에 나오기 때문에, 혹시라도 '양성' 문자를 받게 될까 봐 사뭇 긴장했었는데, 다행히도, 선별 진료소에서는 나에게 '음성'이라는 문자를 보내주었다.

잠시 뒤에는 어머니로부터 수술 준비가 완료되었다는 문자와 함께 한 장의 사진도 받았다. 씩씩하게 웃고 계시는 아버지의 모습이었는데, 코, 팔, 가슴 등 몸 전체에 링거줄을 주렁주렁 달고 계셨다. 온몸에 몇 개의 바늘이 꽂고서도 씩씩하게 웃고 계시는 아버지의 모습을 보니, 안쓰러움과 함께 묘한 희망이 생기는 듯했다. 서울로 가는 SRT안에서는 아버지가 오전 9시경에 수술실로 들어가셨다는 문자도 받았다. 서울에 도착해서 필요한 일들을 가급적 빨리 처리했다. 11시가 조금 넘어 일을 마무리하고 병원으로 가는 지하철을 탔다. 1시쯤 되어 병원 앞에서 어머니를 만났다. 어머니는 원래 보호자로 등록이 되어 있었고, 나는 문자로 전송된 PCR 검사 결과를 병원 1층의 방역담당자분들께 보여드리니 병원에 드디어 입장할 수 있었다. 병원 1층을 통과해서 5층에 있는 수술실로 향했다. 5층은 수술실과 맞은편의 중환자실로 구성되어 있었는데, 수술실에서 나오면 환자의 상황에 따라 다른 층의 일반병실로 이동하는 경우도 있고, 맞은편의 중환자실로 가는 경우도 있다고 했다. 아버지는 위험도가 큰 수술이라 아마도 중환자실로 갈 것이라고 했다. 중환자실의 한 간호사 분은 어머니께 중환자실에 가셨을 때 필요한 물품을 사다 주실 것을 요청하셨다. 내용물이 화장지, 기저귀, 소변통 등등 뭐 그랬던 것 같았다.

"내가 갔다 올까요?"

어머니께 여쭤보았다.

"너 여기 편의점 위치 모르잖아? 내가 아니까 내가 다녀올게."

어머니는 편의점 위치는 본인이 더 잘 아신다며 나에게 5층에서 기다리고 있으라고 하시고는, 지하에 있는 편의점에 물품을 사러 잠시 사라지셨다가 10여분 뒤 큰 비닐봉지를 들고 다시 나타나셨다.

수술실 앞에는 아무런 시설이 없었다. 정말 '아무것'도 없었다. 보호자가 앉을 수 있는 그 흔한 '의자'조차도 없었다. 원래 병원들이 그런 것인지, 이 병원만 그런 것인지 알 수 없었으나, 불편함은 어쩔 수 없었다. 의자가 없는 것은 그래도 참을 수 있었는데, 수술 경과를 확인할 수 있는 방법이 하나도 없다는 것은 영 답답했다. 드라마에서 보면 보호자 대기실이 따로 있던가, 수술실 앞 커다란 화면에 '수술 중' 혹은 '회복 중' 등의 글도 띄워져 있고 그랬던 거 같은데... 얼마나 더 기다려야 하는지, 수술은 계획대로 진행되고 있는 것인지 알 수가 없으니, 보호자들의 입장에서는 심적으로 더 불안했다. 수술 경과를 알 수 있는 적당한 화면 하나는 달아줘도 좋을 것 같았다. 수술실 앞은 우리뿐 아니라, 다른 많은 보호자분들도 '먹이를 찾는 산기슭의 하이에나처럼' 어슬렁어슬렁 주위를 방황하셨다. 어머니는 당신의 불안한 마음을 해소하기 위해 같은 처지에 있을 다른 보호자분들과 이야기를 나누셨다.

"저희 아버지는 척추수술을 하러 오셨어요. 대수술이래요. 5시간도 넘게 걸리신다고..."

"저희 어머니는 다리가 안 좋으셔서 수술받으세요."

저마다 본인의 환자가 어려운 수술임을 마치 경쟁이라도 하듯이 하소연했다. 비뚤어진 내 마음에 '그래도 죽을병은 아닌 것 같은데요...' 하는 생각이 들었다.

그렇게 어려운 수술임을 이야기하신 분들의 가족도 오후 2~3시쯤 되니 한두 분씩 수술 침대에 실려 나오기 시작했다. 대부분 일반병동으로 가시는 분들이셨고, 몇몇 분은 중환자실로 가시는 분도 계셨다. 어머니와 이야기를 나눴던 다른 보호자들도 그들과 같이 사라졌다. 아버지께서 수술실에 들어가신 지 7시간이 지난, 오후 4시쯤이 되자 수술실 앞의 보호자는 나와 어머니만 남았다. 그러나 여전히 아버지의 소식은 알 수가 없었다. 역시 '슬기로운 의사생활'은 판타지였구나. 내 마음은 점점 삐뚤어지고 있었다.

어머니는 길어지는 수술시간에 안절부절못하셨고, 나는 의자 하나 없는 수술실 앞에서 앉았다 일어났다를 반복했다. 수술실 앞을 보니 내부와 연결된 것으로 보이는 스피커폰과 조그마한 초인종이 있었다. 나는 수술실 너머를 기웃거리시는 어머니를 대신해 초인종을 눌렀다. 잠시 뒤 차분한 목소리가 스피커 폰을 통해 들려왔다.

"무슨 일 이시죠?"

"000 씨 보호자인데요. 수술이 너무 오래돼서 그러는데, 일정을 좀 알 수 있을까요?"

"잠시만요."

스피커폰의 목소리가 꺼지고, 잠시 뒤 하얀 옷을 입은 건장한 체격의 남성이 A4지 뭉텅이를 들고 나타났다.

"000 씨는... 지금 수술방이 4시 30분까지 잡혀있네요. 아마 그때까지는 하지 않을까 싶습니다."

"아... 그래요? 알겠습니다."

오후 4시 반까지 수술일정이 잡혀있다고 했으니 30분 정도 남았다.

"지금이 4시니까 30분 정도만 기다리면 되겠네요."

내가 어머니께 말씀드린 그 뒤로 1시간이 더 지나도 아버지는 나타나지 않으셨다. 수술실 옆에는 카드키로 출입이 가능한 자그마한 여닫이 문이 달려있었는데, 5시 반쯤이 넘어가자 그 여닫이 문으로 의사, 간호사로 보이는 분들이 퇴근하기 시작했다. 그들은 나름 말끔히 차려입고 한 손에는 스마트폰을 달랑이며, 저마다의 모습으로 퇴근했다. 그 흔한 직장인의 퇴근과 다를 바 없었다. 하지만 그들과 우리가 다른 세상에 있는 것 같은 느낌에, 나의 불편함은 더 커졌다. 퇴근하는 사람 중에 한 명이라도 붙잡고 '저희 아버지 상황 좀 알려주세요.'라고 물어보고 싶었으나, 민폐가 될게 뻔한 일이었다.

6시가 되었다. 마음이 점점 더 초초해져 왔다. 우리만 빼고 다 퇴근한 듯 5층이 조용해졌다. 그러면 안 될 것 같으면서도 나는 재차 초인종을 눌렀다. 잠시 뒤 그 건장한 청년이 다시 나타났다. 나는 2시간 전에 했던 말을 반복했다.

"저희 000 씨 보호자인데요. 시간이 지났는데... 혹시 진행상황이 어떻게 되고 있는지 알 수 없을까요?"

"글쎄요. 저는 수술방에는 안 들어가서 잘..."

그때 갑자기 건장한 청년 뒤로, 조그마한 여자분이 파란 수술복을 입고 나타나서는 아버지 성함을 물으며 반문했다.

"000 씨요?"

그 여자 의사분은 안경을 쓴 얼굴 너머를 피곤함으로 잔뜩 덮고 있었는데, 우리가 아버지의 성함을 이야기하는 것을 듣고 대뜸 끼어들어 말했다.

"제가 지금 거기서 나오는 중인데, 지금 절제는 다 했고요. 봉합하는 중이니까 한... 30분 정도면 될 거예요."

피곤한 얼굴, 건조한 말투와 수술복 군데군데 묻은 피. 아버지의 수술방에서 나왔다고 했는데... '저 피는 아버지의 피일까?' 수술복에 묻은 피를 보며 문득 궁금했다. 조그마한 여자분은 수술방을 나와 우리를 지나쳐, 맞은편에 있던 중환자실로 터덕터덕 걸어 들어갔다. 건장한 청년이 이야기했다.

"전문의 선생님 말씀 들으셨죠?"

"예..."

건장한 청년은 전문의 선생님의 말을 우리에게 '반사!' 하고는 다시 사라졌다. '전문의'라는 깍듯한 칭호를 붙여 말하는 것을 보니, '전문의가 얼마나 높은 건가?', '저 양반은 전문의보다 낮은가?' 하는 바보 같은 생각을 되뇌었다. 잠시 뒤 중환자실에서 한 간호사가 나오면서 수술실 앞에 쪼그려 앉은 우리를 보며 이야기했다.

"여기서 이렇게 기다리시면, 힘드시니까 아래층에 내려가서 기다리세요. 수술이 끝나면 보호자분께 문자 드릴 거예요."

수술실 바로 우측 옆에는 위아래로 이동이 가능한 비상계단이 있어서, 10초 정도면 아래층으로 내려갈 수 있었다. 나와 어머니는 6시 10분경에 아래층인 4층으로 이동했다. 4층은 외래환자를 받을 수 있는 병동이었기 때문에 앉을 수 있는 의자가 많이 있었다. 나와 어머니는 비상계단에서 가장 가까운 자리에 앉아 문자 연락이 오길 기다렸다. 4층에도 아무도 없었다 그래도 뉴스가 흘러나오는 커다란 화면에 시선을 줄 수는 있었다.

6시 30분이 넘었다. TV에서 흘러나오는 뉴스 소음을 배경으로 어머니와 이야기를 나누는 중에, 어머니 핸드폰으로 갑자기 '수술이 끝나서 중환자실로 이동'한다는 문자가 도착했다. 나와 어머니는 깜짝 놀라 5층으로 부리나케 이동했다. 장담컨대 한층을 오르는데 채 5초도 걸리지 않았다. 우리가 5층에 도착하고 보니, 아버지는 이미 중환자실로 이동한 뒤였다. '아니 이럴 거면 왜 아래층에서 기다리라 한 거야!!' 내 마음속의 삐뚤이가 다시 소리쳤다. 어머니는 중환자실 초인종을 눌러, 아버지의 보호자임을 밝히셨다. 잠시 뒤 간호사가 중환자실의 문을 열고 나왔고, 어머니가 여쭤봤다.

"000 씨 이동하셨어요? 얼굴을 못 봤는데... 볼 수 없을까요?"

"아. 오늘은 안되시고요. 일반병동으로 옮기게 되면 연락드릴게요. 혹시 제가 말씀하신 물건들 사 오셨어요?"

어머니는 들고 계셨던 큰 비닐봉지를 간호사께 건네셨다.

"혹시 언제쯤 옮기실까요? 오늘은 안되시겠죠?"

"예. 어차피 지금은 회복 중이라, 오늘은 어려우실 것 같고요. 빠르면 내일? 늦으면 그다음 날 정도 될 거예요. 오늘은 집에 돌아가 계시면 될 것 같아요."

무언가 아쉬웠다. 병실 앞에서 몇 시간을 기다렸는데 아버지의 얼굴도 못 뵀다. 10여분이 지나니 아버지의 수술을 집도하신 주치의 선생님이 수술실 앞으로 나오셨다. 나는 그날 주치의 선생님의 얼굴을 처음 뵀는데, 어머니는 그 선생님의 얼굴을 확인하고는 대뜸 달려가셔서 꾸벅 인사하며 말씀하셨다.

"선생님. 진짜 고생 많으셨어요."

그 선생님은 아버지와 비슷하게 작은 키에 통통한 체구를 갖고 계신 분이셨는데, 수술의 힘듦을 몸으로 표현하듯이 자신의 몸을 벽에 기대어 두 다리에 실리는 체중을 이리저리 옮기며 말씀하셨다. 아무것도 안 하고 10시간을 서 있기만 해도 힘든데, 수술이라는 고강도 노동을 수행한 뒤의 피로함을 나로서는 상상하기 어려웠다. 주치의 선생님은 뭐라 뭐라 말씀하셨는데 심한 경상도 사투리를 쓰시는 분이셔서, 한껏 지쳐있던 마음을 가지고 있던 그날의 나는 사실 그 말씀의 전부를 알아듣기가 쉽지 않았다.

"수술이... 췌장과 소장을... 위, 간.. 연결하고... 힘들었어요."

알아들은 단어들만 조합해봐도 대충 이 수술이 상당히 힘들었고, 많은 내부의 장기를 자르고 연결하는 작업을 했음을 알 수 있었다. 앞서 다른 분들의 주치의 선생님들은 수술실 앞 보호자분께 "그래도 수술은 잘 됐어요." 등의 긍정적 멘트를 전해주셨었는데, 아버지의 주치의 선생님께는 그 긍정의 멘트를 듣기 어려웠다.

"회복이.. 합병증은.. 부작용이... 조심... 지켜봐야 합니다."

결론은 힘든 수술이었고 회복이 중요하니 며칠은 주의 깊게 살펴봐야 한다는 것이었다. 각종 합병증과 부작용에 대한 사항을 열거하는 선생님의 눈을 보면서 '그래서 수술이 잘 된 겁니까? 안 된 겁니까?'를 묻고 싶었으나 알려줄 것 같지 않아 포기했다. 아니, 오히려 더 안 좋은 이야기를 들을까 봐 그랬을지도 모르겠다.

우리는 주치의 선생님께 인사를 하고, 어떻게 해야 할지 고민하다가 결국 집으로 돌아가기로 결정하였다.

…

나와 어머니는 그렇게 장장 10시간이 넘는 수술 뒤에, 아버지의 얼굴을 보지 못했다는 헛헛한 마음을 가진채 서울본가로 돌아왔다. 아버지가 다시 새롭게 태어나시길 기대하면서, 그렇게 아버지가 계시지 않는 칠순 생일날이 지나갔다.

#6. 한 걸음씩, 천천히

7월이었지만 새벽은 그래도 선선했다. 동생의 이른 출근 소리에 거실에서 선잠에 들었던 내가 슬며시 눈을 떴다. 눈은 떴지만 일어나기가 귀찮아서, 가만히 거실 바닥에 누워 있었다. 어머니도 그 시간쯤에 잠에서 깨신 것 같았다.

아침이 되어도 어머니의 전화는 여전히 조용했다. 오늘 연락이 올지, 안 올지 알 수 없는 상황이었다. 병원이라는 곳이 이렇게 한 치 앞을 알 수 없는 곳이라는 것을 새삼 느꼈다. 추측컨대 아버지께서는 장시간 수술 후에 중환자실에 계시니까, 아마도 일반병동으로 옮기려면 며칠은 걸리지 않을까 싶었다.

'5분 대기조'처럼 마냥 기다릴 순 없었다. 뭐라도 해야 될 것 같았다. 오전 9시경, 어머니는 마음을 가다듬고 머리라도 감아야겠다며 화장실로 들어가셨다.

"머리 좀 감고 나올게."

"예. 그러셔요."

어머니가 화장실에 들어가셔서 머리에 물을 묻히자마자, 어딘가에서 '징~'하는 핸드폰 진동소리가 들려왔다, 진동은 울리는데 핸드폰이 어디 있는지 찾을 수가 없어 잠시 헤매었다. 구석 어딘가에서 어머니 핸드폰을 찾았다. '010'으로 시작하는 저장되지 않은 번호였다.

"전화 왔나 보다! 내가 받을게요."

화장실에 계시는 어머니를 대신해 내가 전화를 받았다.

"여보세요?"

"000 씨 보호자 되시죠?

"예! 아들입니다!"

"아. 여기 B병원 중환자실인데요. 000 씨, 오늘 오후 2시에 일반 병동으로 옮기실 거예요. 상주 보호자 오실 거죠? 보호자께서는 1시 30분까지 중환자실 앞으로 오세요."

따다다다, 간호사의 통보와 같은 멘트가 이어졌다.

"예? 오늘 2시요? 아버지는 일어나셨어요?"

화장실에 게시는 어머니에게 까지 들릴 정도로 일부러 크게 말했다. 어머니는 물이 뚝뚝 떨어지는 머리를 비스듬히 들고 화장실 안에서 나를 보시면서 서 계셨다.

"예. 1시 30분까지 오세요. PCR 검사하시고요."

아차! PCR! 상주 보호자 역할로 어머니께서 병동에 들어가실 예정이었는데, 어머니는 아버지가 입원하셨던 6월 하순에 PCR 검사를 받으셨고 어제 집에 오셨기 때문에, PCR의 유효기간이 지나 있었다. 마치 무제한 이용권 팔찌를 풀어버리면 다시 들어갈 수 없는 것처럼...

"PCR이요? 어제저녁에 집에 왔는데, 그걸 저희가 언제 다시 받아요? 그리고 오늘 PCR 검사하면, 결과는 다음날 나오잖아요?"

나는 마치 랩이라도 하는 양 대꾸했다.

"아... 그래도 일단 받으셔야 되는데..."

간호사도 생각지 못 한 듯 잠시 망실이더니, 한 가지 중재책을 내놓았다.

"그러면, 저희 병원 1층에서 일단 받으시고, 검사를 받았다는 증명서를 하나 가져오세요. 그러면 될 것 같아요."

"아... 그래요? 일단 알겠습니다."

거참 병원 들어가기 어렵네... 나는 두루뭉술하게 전화를 끊고는 어머니께 상황을 설명했다.

"PCR을 받아야 된다는데?"

"아 그래? 보건소를 가야 하나?"

"그냥 병원 1층에서 받고, 받았다는 증명서를 하나 달라고 하래요."

갑자기 정신이 분주해졌다. 무언가 기어를 새롭게 갈아 끼운 느낌이 들었다.

나와 어머니는 아침 겸 점심을 집에 있던 밥과 반찬으로 대충 때우고 병원 갈 '군장'을 다시 챙겼다. 또 이불, 배게, 슬리퍼, 옷, 간식 등을 천으로 만들어진 에코백에 때려 넣었다.

1시쯤이 되어 집 앞 버스 정류장에서 버스를 탔고, 에누리 없이 1시 30분에 병원 정문에 도착했다.

병원 앞 코로나 검사장소에 가보니, 줄이 썩 길었다. 족히 몇십 분은 걸릴 것 같았다. 우리와 처지가 비슷한 사람이 많은 것 같았다. 어머니는 코로나 검사를 위해 검사 줄에 서셨고, 아직 PCR 검사 유효기간이 남은 나는 1층을 통과해 5층 중환자실로 먼저 올라갔다. 나는 5층에 도착하자마자, 중환자실 초인종을 누르고 이야기했다.

"000 씨 보호자인데요. 도착했습니다."

"예. 잠시 뒤에 나가실 거예요. 조금만 기다리세요."

2시가 점점 다가왔다. 어머니는 생각보다 길어진 코로나 검사로 인해 2시가 다 되어서야 중환자실 앞에 합류하셨다. 무언가 긴장되는 느낌이 들었다. 중환자실 앞에서 10여분이 더 흐르자, 이윽고 중환자실 문이 열렸다. 병실에서 보던 것보다 훨씬 더 커다란 침대에 아버지가 누워 나타나셨다. 나와 어머니는 침대 양옆에 붙어 아버지의 상태를 확인하며 서로 질문을 쏘아댔다.

"아빠! 괜찮으셔? 나 알아보시겠어?"

"여보. 괜찮아요? 고생했어요..."

아버지의 몸에는 어림잡아 6~7개의 선이 주렁주렁 달려있었다. 링거를 꽂은 왼손과 얼굴이 다소 부어있는 것 같았지만, 그래도 우리를 알아보시고는 목소리 대신 오른손을 들어 좌우로 '안녕'하듯이 흔드셨다. 예상과는 달리 그래도 밝은 모습이셨다. 그나마 씩씩하게 힘을 내신 것 일게다.

5층의 중환자실에서 굴러 나온 그 커다란 침대는 왼쪽 복도 끝에 있는 환자용 엘리베이터를 타고, 10층의 외과병동 입원실로 향할 예정이었다. 나와 어머니는 마치 경호원처럼 아버지의 커다란 침대 양옆에 붙어 경호하듯이 같이 이동했다.

커다란 침대가 10층에 도착했다. 커다란 침대는 중환자실 전용 침대였던지, 그 보다 작은 입원실용 침대로 아버지를 옮기기 시작했다. 간호사를 비롯해 건장한 체격의 남성 4~5명이 침대 주위를 에워싸고 붙었다. 아버지와 아버지의 몸에 매달려 있는 많은 줄을 조심스레 들어 커다란 침대에서 작은 침대로 옮겨졌다.

아버지를 태운 그 작은 침대는 병실 복도를 따라 굴러가다가 이윽고 한 4인 병실로 들어가 자리를 잡았다. 이번에는 창이 보이지 않는 입구에서 왼쪽 자리였다. 지난번 창가 자리가 좋았었는데, 하는 생각이 들었다. 간호사들은 나와 어머니를 보며 이야기했다.

"두 분 중에 누가 남으실 건가요?"

"어머니가 남으실 겁니다."

"PCR 검사는요?"

그놈의 PCR! 아 지겹다. 어머니가 방금 병원 1층에서 받으셨다는 확인증을 보여드리면서 검사 확인 절차는 완료되었다.

"예. 따라오세요."

새로 입주한 병실이 분주해졌다. 아버지 몸에서부터 나온 널브러진 줄 들이 간호사분들의 도움으로 하나둘씩 정리되고 있었다. 어떤 것은 위로, 어떤 것은 아래로, 어떤 것은 소변통으로, 각자 자리를 찾아 들어갔다.

나는 가만히 누워있는 아버지를 바라보았다. 아버지는 나와 눈 맞춤을 하시고는 힘들게 입을 열어 말씀하셨다.

"물..."

오랜만에 본 아들에게 처음으로 하신 아버지의 말씀은 '물'이었다. 몇 시간 동안 물 한 모금 마시지 못하였으니, 그 갈증을 미루어 짐작키 어려웠다.

"물이요? 내가 간호사분들께 물어보고 올게요. 드셔도 되는지..."

나는 10층 중앙에 무더기로 모여있는 간호사분들에게 가서 아버지가 물을 드실 수 있는 상황인지 여쭤보았는데, 아직은 안된다는 답변을 들었다. 예상하긴 했는데, 뭔가 안쓰러웠다.

나는 병실로 돌아와서 아버지께 아직 물은 안된다는 이야기를 전했다. 휴지에 물을 묻혀 입술만 적셔드리는 것으로 만족해야 했다.

어느 정도 정리가 끝나자, 간호사분께서 나와 어머니를 보며 이야기했다.

"어머니가 상주 보호자로 계신다고 하셨죠? 그럼 아드님은 정리하고 들어가셔야 됩니다."

아쉽지만 나는 이 복잡한 룰을 따를 수밖에 없었다. 아버지를 바라보면서 이야기했다.

"몸조리 잘하고 계세요. 조만간 또 올게요."

아버지는 대답 대신 힘들게 고개를 끄덕이셨다. 나는 병실을 나와 세종으로 돌아오기 위해 발걸음을 옮겼다.

이후 입원기간 동안, 아버지에 대한 대부분의 정보는 어머니와의 통화 및 보내주시는 사진, 동영상 등에 의해 얻을 수밖에 없었다.

일반병실로 옮긴 뒤에는 하루하루 더딘 회복의 과정이 필요했다. 일반적으로 암으로 인한 수술의 경우 외과와 내과의 협진 과정이 필요한 듯했는데, 아버지의 경우도 마찬가지였다.

내과적인 부분은 목표했던 암이 잘 제거되었는가를 확인하고 항암 등 후속 조치의 방향을 정하는 것이었다. 사실 아버지는 '담도암'으로 수술을 받으신 만큼 내과적인 처치가 제일 큰 과제였지만, 외과병동에 입원해 있는 동안은 외과적인 회복에 집중할 수밖에 없었다.

외과적인 부분은 수술 후 회복에 대한 것이었다. 아버지는 소화기의 많은 부분을 절제하고 봉합하는 대수술을 하셨기 때문에, 그 봉합된 부분에 대한 사후 관찰 및 안착과 건강의 회복이 중요했다. 쉽게 말해 음식물과 소화액이 새지 않도록 하는 절대적인 시간이 필요했고, 이를 위해서 병원에서는 금식 및 제한적인 식사관리와 적절한 운동을 권했다.

외과 입원병동 첫째 날에는 물도 금지되었다. 둘째 날부터 소량의 물이 '허락'되었다. 그 뒤에는 '미음'을 드실 수 있었다. 난 미음이 뭔지 잘 몰랐다. 사진 너머로 보니, 숭늉같이 맑은 액체로, 아주 극소량의 탄수화물이 녹여져 있는 것 같았다. 입원실로 옮기신 일주일 차인 7월 8일이 되어서야 드디어 알갱이가 있는 '죽'을 드실 수 있게 되었다. 물에서 미음, 죽으로 가는 게 이렇게 어려운 일인지 몰랐다. 분명 더 건강해지는 중일 텐데, 사진상으로는 더 늙어 보이고 힘들어 보였다. 온전한 음식의 섭취는 생각보다 더 더뎠다. 앞으로 그 좋아하던 술은 물론이고, 기름진 고기를 마음껏 드실 수 없을지도 모른다고 생각하니, 자식 된 입장에서 안타까움이 더 했다.

그 와중에 운동은 열심히 하셨다. 당장 며칠은 자리에서 일어날 수도 없을 줄 알았는데, 입원실로 내려온 그날에 담당의사분께서 열심히 운동을 해야 한다고 하셨다. 그래서 아버지는 없는 힘을 짜내어 가급적 일어나 걸으시려고 하셨다. 일주일쯤 지나 어머니께서는 아버지가 운동하는 영상이라며 가족 카톡방에 동영상을 올려주셨다. 곧 잘 걸으셨다. 걸음걸이만 보면 씩씩하다.

백발의 할아버지가 힘겹게 한 걸음씩 발걸음을 떼는 모습을 보고 있으니 마치 다시 걸음마를 배우는 것 같았다. 처음 시작하는 아이처럼, 브래드 피트가 연기했던 '벤자민 버튼'이 떠올랐다.

그래! 시간을 한번 거꾸로 흘려보자고!

힘차게 걸으시는 아버지의 몸에는 족히 6~7개의 선이 달려있었는데, 나는 이 선이 어떻게 연결되어있는 것인지 어머니께서 사진을 보내주시기 전까지는 정확히 몰랐다. 어머니는 며느리가 놀랄까봐, 며느리까지 포함되어 있는 단체 채팅방을 피해 내게만 사진을 하나 보내오셨는데 거기에는 아버지의 몸을 꿰뚫고 있는 선들을 소독하고 있는 사진이 들어있었다.

가슴 중앙부터 배꼽 위까지 약 20cm가량의 긴 수술의 흔적, 오른쪽 복부에 4개 관이 달려 있었고, 배꼽 옆에 하나, 왼쪽 가슴 근처에 하나의 관이 연결되어 있었다. 사진으로 확인되는 관의 개수만 그랬고, 다른 쪽에도 몇 개의 선이 더 연결되어 있는 것 같았다.

외과병동 입원 후 2주쯤 되었을 때 아버지 몸에 달려있던 수많은 줄 중, 야구공만 한 풍선 4개가 달려있던 줄이 제거되었다. 그래도 여전히 많은 줄들이 어지러이 연결되어 있었다. 빠르면 3주 차엔 퇴원을 할 수 있다고 했는데 여전히 남아있는 줄과 주머니들은 어떻게 할지 감이 잡히지 않았다.

이리저리 찾아보니 담도암 수술 환자의 경우는 주머니를 달고 퇴원하는 경우가 잦다고 한다. 통상 4주 정도 달고 있다고 하니, 3주 차에 퇴원해도 1~2주 정도는 더 주머니를 달고 있으셔야 할 것 같았다. 퇴원의 과정은 멀고도 험해 보였다. 이 시기에 들어서 코로나 19의 확진 상황도 점차 거세졌다. 코로나 확진 상황이 7월 초순부터 천여 명대를 보이더니 연일 국내 기록을 갈아치웠다. 당시 코로나에 대한 국민적 공포감이 극에 달하면서 '코로나=죽을병'처럼 인식되었을 때라, 생활환경은 더욱 퍽퍽해졌다. 병원에 계신 아버지는 병세로, 어머니는 보호자 역할로 인해 코로나 백신 1차 접종도 하지 못하셨는데, '지금 같은 시기에는 오히려 병원에 안전하게 계신 게 나은가?' 하는 생각이 잠시 들었다.

이 시기엔 내 몸과 마음의 상태도 조금 이상했다. 이 글을 빌어 다시금 이야기하자면, 아버지의 병환을 알기 시작한 6월 중순부터 나의 감정은 '회색'과 '까만색'의 어느 중간쯤에 항상 머물러 있었다. 평상시와 다르게 짜증을 낸다거나, 화를 낸다거나 하지는 않으려고 노력했지만, 남들이 보기에도 어둡고 우울해 보이는 모습이었을 것이다. 나는 그럴 때마다, 코로나 백신 후유증이라며 둘러댔다. 회사 동료들도 그렇게 믿는 것 같아 다행이라 생각했다.

7월에 들어서면서는 갑자기 어지러움증이 생겼는데, 쉽게 없어지지 않았다. 정말 백신 부작용인지 갑작스러운 스트레스로 인한 것인지 알 수는 없었다. 연구원에 외출을 신청하고 세종시청 근처의 내과로 가서 증상을 말했는데, 의사 선생님도 정확한 진단을 내리지는 못하시고 어지러움증을 완화시킬 수 있다는 약을 처방해 주셨다. 그럼에도 불구하고 그 어지러움증은 한동안 계속되었다.

아버지의 입원이 점점 길어지면서 아버지뿐 아니라 어머니의 몸 상태도 걱정이 되기 시작했다. 노인네가 노인네를 간호하는 것에 대한 일종의 죄책감 같은 게 밀려오기 시작했다. 하지만 부모님 두 분께 해드릴 수 있는 것은 사실 별로 없었다.

입원하시고 2주 차쯤 되셨을 때 아이들의 옆구리를 찔러 부모님과의 영상통화를 시도했다. 아버지의 몸상태가 막연히 조금 나아진 것 같기도 해서, 아이들에게 할아버지의 모습을 보여주고 싶었다. 큰딸, 작은딸 모두 숫기가 없어서 그 흔한 "할아버지 얼른 일어나세요." 같은 말은 못 했다. 돌이켜 생각해보니 부모님께 거는 영상통화는 언제부터인가 나를, 아이를 위한 것이 아니라 부모님을 위한 것임을 잠시 잊고 있었다.

그 와중에 내 생일인 7월 19일이 되었다. 아버지께 불쑥 전화가 걸려왔을 때는 나조차 내 생일임을 인지하지 못했었다.

"여보세요?"

"아들, 오늘 생일이네. 축하한다."

뻘쭘했다.

"생일? 아~ 생일 그거 뭐가 중요하다고... 아빠 몸이나 챙기세요. 그런데 언제쯤 퇴원하시는 거예요?"

"글쎄... 뭐. 빠르면 이번 주에 한 댔는데, 검사를 더 해봐야 하나 보더라고."

아버지는 당초 7월 20일쯤 퇴원이 예정되어 있었는데 가슴 쪽에 무슨 '물'이 원활하게 흡수가 되지 못했다면서 며칠 늦어질 것 같다는 이야기를 하셨다. 원래는 몸에서 자체적으로 흡수가 되어야 하는데 그게 잘 안 되는 모양이었다. 며칠간 경과를 살펴봐도 차도가 없으면 별도의 시술이 필요한 것 같았다.

이 '시술'은 병원 측에서 몇 차례의 시도 끝에도 끝내 완수되지 못했다. 병원에서는 이 물을 빼내기 위해 몸에 별도의 관을 집어넣으려고 했는데, 이 방법은 오히려 더 큰 부작용을 유발할 수 있다는 이유로 결국 무산됐고, 병원에서는 아버지 몸에서 자연적으로 흡수되길 기대해보겠다고 전했다. 다시금 뭐하나 예측대로 되는 일이 없구나 싶었다.

결국, 예상보다도 일주일 늦은 7월 27일이 되어서야 아버지는 몸에 몇 개의 풍선을 단 채로 퇴원하셨다. 입원 후 한 달이 넘은 시점이었다.

아버지의 몸은 더디지만 천천히 회복되는 것 같았다. 우리는 아버지에게 '충분한 시간'만 주어진다면 이 병세가 점차 나아질 것이라는 나름의 희망을 품었다.

…

적어도 이때까지는 말이다.

#7. 평범한 삶에 대한 희망

하루하루가 무던히도 흘렀다.

퇴원 이후, 8월 중순에 이르러 아버지 몸에 마지막으로 달려있던 췌장액이 나오는 관을 제거하자 눈에 보이는 외과적 처치는 일단락이 되었다.

그 뒤부터는 그 이름도 무서운 '항암'의 과정이 기다리고 있었다. 일전에도 언급한 바와 같이, 암환자 회복의 핵심은 '(종양) 내과적 처치'에 있다고 생각했다.

병원에서는 아버지가 입원해 계셨던 7월에 암에 대한 전이 검사를 이미 시행한 바 있었다. 이에 대한 검사 결과를 어머니와의 전화통화를 통해 전해 들었었는데, ''임파선' 검사 결과 전이는 없는 것 같다.'는 이야기였다. 포털사이트에서 검색해보니, '임파선'은 일종의 암세포를 퍼트리는 입구 같은 역할을 하는 것 같았다. 이곳에서 암세포가 검출되지 않았다는 것은 적어도 다른 장기로 암이 확산되지는 않았다는 것 같았다. '천만다행', 글자 그대로 천만다행이다.

드라마에서나 보던 항암에 대한 우리 가족의 사전 지식은 '전무'했다. '항암'이라는 절차가 왜 필요한지, 어떻게 이루어지는지 그때도 몰랐지만, 지금도 여전히 혼동스럽기만 하다. 임파선 결과 전이는 없다면서도 항암을 하는 그 이유를 나는 여전히 잘 모르겠다. 몸에 암이 있으나 검출하지 못한 경우 이거나, 혹은 후에 다시 생기는 경우를 미연에 방지하기 위함 등 그 사용의 근거는 많을 것이다. 그럼에도 불구하고 항암을 '하느냐, 안 하느냐'는 <햄릿>의 명대사와 같이 '죽느냐, 사느냐'의 갈림길과 밀접하게 맞닿아 있으니, 그리 쉽게 결정할 수 있는 사항이 아니었다. 그럼에도 불구하고 환자뿐 아니라 의사도 너무 쉬이 결정을 내리고 받는 것 같았다.

아버지 역시 다른 환우들과 마찬가지로 그 항암의 불편한 의사결정 과정을 모른 채 제쳐두고, 항암에 돌입하였다. 병원에서는 항암으로 주사 대신 '복용제'를 권했는데, 의학에 무지하여 정확히는 모르겠지만, 아마도 주사보다는 먹는 항암제가 환자의 몸에 덜 해로울 것 같은 느낌은 있었다.

약으로 복용하던, 주사로 처치를 하던 항암을 시작하시면서 우리는 '누군가', 또는 '다른 누군가' 혹은 '누군가의 누군가'를 통해서만 접했던 그 '항암의 부작용'에 대해 걱정하기 시작했다. '발이 아프다.', '소화가 안된다.', '변이 안 나온다.' 등등 무언가 조금의 이상이라도 보이면 다 항암 때문에 그런 것 같았다. 그래도 아버지는 큰 투정 없이 묵묵히 항암을 이겨내시는 것을 보고 '그래. 아버지는 원래 강한 분이셨어.'라고 생각했다.

이때에는 가끔 부모님 댁에 들러 아버지의 상태가 그 '항암 부작용'의 상태인지를 확인했는데, 식사를 잘하시는 모습만 봐도 무언가 마음이 놓였다. 부모는 자식들 어리광을 보며 힘을 낸다고 하던데, 아버지가 건강하게 식사하시는 것을 보니 오히려 내가 힘을 받고 오는 기분이었다.

9월에는 아버지의 항암치료와 무관하게, 코로나 상황이 여전히 지속되고 있었다. 이 시기에는 전국적으로 코로나 백신의 2차 접종을 하는 시기였고, 우리 역시 이 시기 즈음에 코로나 백신 2차 접종을 마무리했거나, 준비하는 중이었다. 9월 하순에는 추석이 껴 있었는데, 정부에서는 코로나 상황으로 전국적 대이동을 자제할 것을 권했다. 다만, 백신 접종자를 포함하여 8인 까지는 예외적으로 허용하였다.

아버지는 어릴 때 고향을 떠나오셨기 때문에, 1년에 두 번 있는 구정과 추석에는 꼭 고향 인근에 사는 형과 누나, 동생분들을 만나 뵈려고 하셨었다. 아버지가 방문하시는 일반적인 경로는, 첫 번째로 나에게는 큰아버지인 아버지의 형님이 사시는 곳에 들러 차례를 지내고는, 두 번째로 할아버지, 할머니가 묻히신 청주 인근의 선산을 방문하여 돌아가신 부모님께 안부를 전하는 식이었다. (할아버지, 할머니는 후에 '분골' 하여 납골당으로 모셨는데 그때는 납골당으로 방문하셨다.) 그 뒤에는 경우에 따라 누나와 동생들을 뵈러 다니시기도 하셨다.

이 일련의 의식은 특별한 경우가 있지 않는 이상, 내가 살아온 이래 지속되어 왔던 행사였다. 나는 어릴 때 멀미가 심했는데, 택시, 기차, 버스 등 모든 교통수단에 대해 어지러움증을 느꼈다. 당시 귀밑에 붙이는 멀미약, 먹는 멀미약을 다 사용하고서도 멀미가 가라앉지 않았기 때문에 아마도 그 당시 부모님께 여간 큰 골칫덩어리가 아니었을까 생각된다. 그렇게 멀미가 심했던 나의 어린 시절에도 1년에 두 번씩은 꼭 아버지의 고향 인근을 방문했었다. 내가 결혼하여 분가한 뒤에도 나는 내가 있는 집에서, 부모님은 본가에서 각자 출발하여 큰 아버지 댁에 모이는 새로운 경로만 생겼을 뿐, 이 행사 자체가 없어지진 않았다. 그만큼 아버지에게는 '명절=고향방문'의 공식이 자리하고 있었다.

내 기억으로 이 행사가 처음 멈춘 것이 코로나로 인한 2020년이었다. 2020년 한 해 동안 코로나 상황으로 설, 추석 등 명절 기간 이동 제약이 있었고, 우리 가족은 가급적 정부의 그 제약을 따라 이동을 멈췄다. 하지만, 아버지는 2021년 추석에는 꼭 차례를 드리고 싶다고 하셨다. 몸이 성치 않은 자식이 이미 돌아가신 부모님께 일종의 '예'를 드리고 싶었던 것이라 생각했다. 그렇게 아버지, 어머니는 큰아버지가 계시는 천안을 방문하셨다.

아버지는 큰아버지가 주관하시는 차례 자리에서 할아버지, 할머니께 절을 드리셨다. 아버지께서 절을 드리시며 무슨 생각을 하셨을지 모르겠다. 부모님의 평안?, 자식의 건강? 그것이 무엇이었는지 여전히 잘 모르겠지만, 적어도 그때만큼은 '본인의 건강을 위한 바람'을 이기적으로 부탁드려도 좋을 것 같았다. 돌아가신 할아버지, 할머니께 절을 드리고 난 뒤에 아버지의 눈가가 촉촉해져 있다고 느낀 것은 나뿐일까?

나도 할아버지, 할머니께 절을 드리며, 마음속으로 기원했다.

'할아버지, 할머니의 둘째 아들, 몸 좀 건강하게 해 주세요.'

천안에서 차례를 마치고 점심식사를 하신 뒤에, 나는 아버지, 어머니를 세종에 있는 우리 집으로 모셨다. 천안에 오신 김에 아들

사는 집에 들러 며느리, 손녀들과 하루 보내시는 게 어떻겠냐고 권해드렸는데, 두 분 다 좋다며 흔쾌히 방문하셨다. 내 아내는 저녁식사를 잘 대접하고 싶어 했지만, 항암을 하시는 아버지에게 어떤 음식을 드려야 할지 잘 몰라 다소 어려워했다. 하지만, 평소에도 특별히 가리는 음식 없이 잘 드시는 아버지는 본인에 입에 맞는 음식을 알아서 잘 가려서 드셨다.

부모님께서 주무실 방 하나를 내어드리자, 아버지는 저녁 10시경 일찍 취침에 드셨다. 나는 평소에는 새벽 1시에나 잠자리에 들었지만, 그날은 부모님이 주무시는 것을 확인하고는 평상시 보다 일찍 잠자리에 들었다.

다음날 새벽에 들리는 현관문 소리에 잠에서 깨어보니, 새벽 6시쯤이었던 것 같다. 아침 일찍 아버지는 아침운동 삼아 세종의 거리를 돌러 나가셨고, 어머니는 그런 아버지 옆을 지키러 같이 동행하셨다. 돌아오신 뒤에 아버지, 어머니가 근처를 산책하시며 찍은 몇몇 사진을 보여주시며, 본인의 경로를 인증하셨다.

그렇게 세종에서의 하루를 마치고, 부모님을 오송역으로 모셔다 드리는 차 안에서 나와 아버지, 어머니 셋은 현재 이야기, 앞으로의 삶에 대한 이야기, 부모님의 건강에 대한 이야기 등 일반적인 가정에서 볼 수 있는 다양한 이야기를 '평범하게' 나누는 시간을 가졌었다.

더위가 가시고 차츰 선선한 바람이 부는 동안에도 그렇게 평온한 하루하루를 보내셨다. 상황이 나아졌다는 생각이 들자 아이러니하게도 매일 아침저녁으로 하루에 두 번씩 걸던 전화가 점차 뜸해졌다. 하루에 한 번, 이틀에 한 번, 삼 사흘에 한 번씩으로 점차 뜸해지더니, 어느새 일주일에 한 번씩 전화하던 예전의 모습으로 돌아왔다. '무소식이 희소식'이란 말. 참 잘 만들었다. 적절한 핑곗거리가 되잖냐.

아버지의 항암도 그렇게 무탈하게 진행되는 '듯' 했다. 10월쯤이 되면서 가끔 안부전화를 통해 확인했던 것은 그 예의 '항암 부작용'에 대한 것이었다. 아버지는 손발이 붓고, 까맣게 되는 부작용이 있으셨는데, 특히 발바닥에 일부 통증이 있으셔서 많이 걷는 게 힘들다고 하셨다. 적어도 당시 내가 아는 한도 내에선 그랬다. 이것도 다양한 경로를 통해 찾아보니, 그 뻔한 답인 '항암 부작용' 중 하나라는 인터넷 달변가들의 답이 돌아왔다. 우리는 그러한 상황에서 항암을 지속할지, 멈추어야 할지 고민했다. 나는 거소를 같이 하지 않는 일종의 '관찰자'였기 때문에 발언권이 그리 세지 않았다. 그저 가만히 지켜보고, 부모님이 내리시는 결정을 존중할 뿐이었다. 결국 아버지와 어머니는 고민 끝에, 11월 중순에 항암을 '중지'하기로 하였다.

우리는 '항암 시작' 만큼이나, '항암 중지'에 대해서도 그 의미를 잘 몰랐다. 아니 지금도 잘 모른다. 누가 설명해준다고 해도 앞으로도 잘 모를 예정이다. 말 그대로 항암 중지는 때로는 '약'으로 작용하기도, 때로는 '독'으로 작용하기도 하는 알 수 없는 무엇이었다. '러시안룰렛'처럼 지금 멈추어야 하나, 계속해야 하나 그때도 알 수 없었고, 지금도 모르겠고, 앞으로 같은 상황이 또다시 닥쳐도 알 수 없을 것 같았다. 그냥 '상황'이라는 거센 흐름에 휘몰려 결정되는 그 무엇이었다. 하지만 적어도 그 당시에는 우리의 판단이 맞았다고 생각하려 했다. 아버지는 발의 통증만 제외하면 '적당히' 괜찮아 보이셨기 때문이다.

12월 초순에는 나와 아내, 두 딸아이가 시간을 내어 서울행을 택했다. 오랜만에 아버지, 어머니와 장인어른, 장모님과 함께 조촐한 식사자리를 갖기 위함이었다. 아버지의 항암 중단 이후에도 아버지의 상태가 나쁘지 않은 것으로 보였고, 장인, 장모님과의 만남도 꽤 오래 돼었기 때문에, 서로 간의 회합의 자리를 만들어 보고자 하였다.

아버지의 병환 이후 처음 하는 외식자리였던 것으로 기억되는데, 그때는 마냥 '비싼' 것보다는 몸에 좋은 것을 골라야 할 것 같았다. 항암환자에게 좋은 음식을 무엇으로 골라야 할지 감을 잡지 못하고 있던 내게, 아내는 서울 종로에 있는 '베이징 덕' 요릿집을 추천했다. 룸이 있는 조그마한 방에 여러 식구가 빙 둘러 함께 자리했다. 가게의 벽면에 붙어있는 북경오리가 좋은 다양한 이유를 보면서 '선택하기 잘했군.' 싶은 생각이 들었다.

일전에도 양가 부모님이 만나는 자리는 종종 있어왔는데, 아버지는 술 좋아하시는 장인어른과의 만남을 무척 좋아하셨고, 그런 두 분은 만나실 때마다 간단한 약주를 즐겨하셨다. 장인어른이 먼저 말씀하셨다.

"약주는... 안 하시죠?"

"예. 이제 안 마십니다. 허허허."

술 좋아하시는 아버지가 술을 마다하시니 못내 아쉬웠는지, 내가 살짝 끼어들었다.

"나중에 건강해지면, 그때 하세요."

부모님 네 분은 화기애애하게 담소를 나누셨다. 그날의 만남은 양가 부모님이 만나는 여느 날과 마찬가지로 전혀 특별하진 않았다. 그럼에도 난 그 '평범함'이 주는 느낌이 좋았다. 식사를 마치시고, 아버지, 어머니는 운동삼아 종로를 걸어보시겠다 하셨고, 장인, 장모님은 청계천에 들르시고자 하셨다. 다음에 만날 날을 기약하면서 그렇게 그날의 자리는 마무리되었다.

...

후에 장모님께서 어머니께 말씀하셨다.

"그날... 종로에서 식사했던 날... 그날 뵌 게, 아버님 마지막이었어요..."

#8. 전조(前兆)

2022년 1월 1일 0시. 2022년이 되었다. 나는 매년 1월 1일 0시 근방이 되면, 항상 부모님께 전화를 드려 '새해 복 많이 받으시라' 라고 말씀드렸다. 그날도 별반 다르지 않았던 것 같다. 몇 가지 덕담을 주고받았다. '건강하세요.', ' 그래 너도 건강해라.' 뭐 그런...

다른 해와 다르지 않은 말을 주고받으며, 우리는 앞으로의 새해를 기약했다. 2022년에 들어서도 그렇게 평범한 하루하루를 보낼 것이라 생각했다.

1월 6일 목요일도 다른 날과 별반 다르지 않은 하루였다. 점심시간이 다되어서 어머니께 전화를 드렸다.

"어. 엄마. 별일 없으시죠?"

"어... 그게..."

어머니께서 한참 뜸을 들이셔서, 난 아버지께 무슨 일이 생겼나 불안했다. 잠시 뒤, 조용하지만 차분하게 이야기했다.

"엄마가... 코로나 확진됐네..."

"응? 무슨 말이야? 코로나에 걸렸다고?"

순간 다른 느낌으로 뒷덜미가 싸했다. 그렇게 조심하고 조심했는데, 코로나 확진이라니? 회사 동료들을 제외하고 가까운 주변분들 중에 코로나에 걸린 사람이 아무도 없었고, 코로나에 확진된다는 것이 여전히 두려운 시기였기에 어머니의 코로나 확진 소식은 생각보다 작지 않은 놀람을 안겨주었다. 일단 진정하고 대화를 이어갔다.

"몸 상태는 어때요?"

"괜찮아. 그냥 약한 감기 같아. 목이 조금 칼칼해서, [딸]이 그래도 모르니 PCR 받으라고 해서 받았더니 글쎄 '양성'이라지 뭐니."

"아빠하고, [동생]은? 연락했어?"

"연락했지. [딸]은 연락해서 곧 들어올 거고, 아빠는... 일 가셨어. 연락드렸으니까 오실 거야."

일? 이 와중에 또 일을 가셨어? 참 대단하다.

우여곡절이 있었지만, 다행히도 아버지와 동생은 PCR 검사 결과 '음성' 판정을 받았고, 그렇게 세 명의 가족은 한 자리에 모여 '자가격리'를 시작했다. 당시 정부의 코로나 확진자에 대한 지침 상 격리기간은 '10일'이었다. 같이 거주하는 가족도 마찬가지로 10일의 격리가 필요했다. 아버지에게 쏟아내던 걱정을 잠시 동안 어머니에게 옮겼다.

그날부터 매일 오전, 오후로 어머니께 전화를 드려, 몸상태를 체크했다. 하루 이틀이 지나 어머니의 목소리가 더 잠기는 듯하더니, 삼사흘이 지나자 목소리가 점차 회복되었고, 5일 정도가 지난 뒤에는 감기 증상도 한결 나아진 듯했다. 하지만, 아직도 그 '코로나 형기'가 끝나지 않아 '감금생활'은 계속 이어졌다. 격리기간이 지난 10일 뒤에 어머니는 자동으로 격리가 해제되었고, 아버지와 동생은 코로나 검사 결과 '음성'을 판정받고 세명 모두 격리에서 해제되었다.

나는 이 시기에 어머니의 코로나 확진 증상에만 관심이 쏠려 있었다. 그러나 정작 그때부터가 앞으로 닥칠 불행의 '전조증상'이었는지도 모르겠다. 후에 알아보니, 아버지는 12월 말부터 몸에 이상을 느끼셨다고 했다. 속이 조금 불편하셨던 아버지는 무언가 이상해서, 1월 5일에 병원에 방문에 CT를 찍으셨다고 했다. 검사 결과를 확인하러 병원에 방문하려고 했던 날에, 어머니의 코로나 확진으로 병원 방문 일정이 연기되었다. 격리기간이 끝난 이후인 1월 17일에 아버지는 점점 더 이상해지는 몸을 이끌고 병원에 방문하셨다가, 그 길로 바로 '재입원'을 하셨다.

한참 뒤에 동생과 그때의 일을 회상하며 이야기를 나눴는데, 동생은 이 시기에 너무나도 불안한 하루하루를 보냈다고 했다. 동생이 봐도 아버지의 몸상태는 무언가 이상해 보였고, 점점 더 안 좋아지는 듯했는데, 코로나 환자가 있는 그 집에서 한 발짝도 움직일 수 없어서 너무도 답답했었던 시기였다고 회고했다.

아버지가 입원하신 뒤에는 CT, 골수검사 등 암수술 직후와 다름없는 검사가 '다시' 진행되었다. 아니, 오히려 더 밀도 있는 검사가 진행되었다. 병원에서는 수시로 아버지의 혈액검사를 시행했는데, 혈액에서 나타내는 수치가 좋지 않다고 했다.

또다시 항암을 해야 할지, 하지 않을지를 결정해야 하는 선택의 상황이 우리 앞에 놓였다. 하지만 이번에도 그 결정은 예전과 같았다. 입원 후 3일이 지난, 1월 20일 아버지는 전에 복용하셨던 '항암제' 대신 이번에는 '항암주사'로 변경하여 다시 항암을 시작하셨다.

이 시기에조차 나는 너무 안이한 생각을 가지고 있었던 것 같다. 내가 세종에 있어서 그 현장감을 느끼지 못했던 이유도 있었고, 지난번 항암제를 투약할 때도 큰 어려움은 없었다고 느꼈기에 항암 주사의 처치에서도 아버지의 몸상태에 대해 그리 심각한 걱정을 하지는 않았다.

이 밖에 또 하나의 변명을 하자면, 그 시기에 나는 '사과나무'를 심어야 해서 너무 바빴다. 나는 1월에 들어서면서, 정부의 모 '연구위원회'에서 작년 보고서 중 '우수보고서 평가 대상'으로 선정이 되었다는 '비보'(?)를 전해 듣게 되었다. 우수보고서 평가 대상이라는데 비보가 웬 말인가 싶겠지만, 여기에 선정되는 보고서는 원내 심사위원의 '혹독한 평가'를 통해 '재탄생 수준의 수정'이 기다리고 있었다. 우수보고서로 선정되는 영광 대신, 보고서 연구책임자의 가혹한 며칠간의 '밤샘 작업'이 수반되는 일이었다. 작년에 마무리했던 연구과제의 최종 오탈자 점검, 인용문헌 처리 등 수정 기간이 부여되었다. 당시 내 머릿속은 오만가지 생각으로 복잡했지만 몇 주간 이 작업에 투입되면서 나의 1, 2월이 속절없이 사라졌다.

이 작업을 마무리하자, 최종적인 보고서 인쇄를 남겨두었다. 전년도 보고서는 1차로 전자본(PDF)을 12월 말까지 출간하고, 다양한 오탈자 등의 수정시간을 거쳐 3월 하순에 최종적으로 인쇄본이 발간되는 일정이었지만, 나는 그 작업을 모두 2월 안에 마쳐야 했다. 3월 1일부터는 '아빠 육아휴직'에 들어가야 했기 때문이다.

다시 한번 고백하지만, 나는 이 시기에 아버지의 몸 상태를 정확히 몰랐다. 어머니와의 통화를 통해 항암을 어떻게 진행하고 있는지, 혈액 수치는 어떤지, 식사는 어떻게 하시는지 등을 그저 수화기를 통해 건네 들을 뿐, 정확한 상태를 파악하기는 어려웠다.

어머니께서 아들이 걱정할까 봐 일부러 숨기신 것인지, 아니면 내가 너무 안이하게 생각한 것인지는 모르겠지만, 나는 아버지가 항암을 잘 마치시면 다시 '평범한 하루'를 맞이할 수 있을 줄 알았다. 그것에 대해서는 아버지도 마찬가지로 생각하셨던 것 같다. 재 항암에 돌입할 당시 아버지는 2021년 11월에 중단한 항암으로 인해 본인의 몸에 이상이 왔다고 생각하셨고, 이번 항암주사는 비록 전보다 더 큰 부작용이 오더라도 끝내 완주하시겠다고 생각하셨다. 가혹한 '러시안룰렛'의 게임이 다시 시작되었다.

하지만, 정작 아버지의 몸은 그 항암을 견디지 못했다. 항암을 하기 위해서는 일정 수준의 적혈구, 백혈구 및 혈소판 수치가 유지되어야 했는데, 혈액 검사 결과를 통한 아버지의 몸은 그 수치의 감소가 뚜렷하게 나타났다. 매번 백혈구, 적혈구, 혈소판, 전장 헌혈 등을 몇 차례 진행한 뒤에야 항암을 진행할 수 있었다. '이번엔 수혈하러 간다.', '이번엔 항암 하러 간다.', '이번엔 수혈하러 간다.', '이번엔 항암 하러 간다.'를 반복하는 날이 계속 이어졌다. 그럼에도 그 수치는 좀처럼 나아지지 않았다.

이 와중에, 변비, 혈변, 소화불량 등 지난번보다 더 뚜렷하고 심각한 각종 항암 부작용이 계속 반복되었다. 무엇보다도 가장 걱정스러웠던 것은 식사를 제대로 챙겨 드시지 않는다는 것이었다. 먹는 것에 소홀하지 않으셨던 아버지가 식사를 마다하신다는 것은 상상하기 힘들었다. 아버지의 몸무게는 어느덧 50kg 중반에 다다랐다.

아버지의 체중이 점점 감소하고 있다는 이야기를 어머니와의 전화통화를 통해 들었다. 이 소식을 듣고서도, 나와 아내가 할 수 있는 일이라고는 항암환자에게 좋다는 음식을 찾아 가족 채팅방에 공유하거나, 맛있는 음식을 대접해 드리라며, 어머니의 통장으로 몇십만원씩을 부쳐드리는 것이 전부였다.

3월이 되어 나의 육아휴직이 시작되었고, 나는 잠시 '사과나무 심기'를 멈췄다. 나는 나의 육아휴직에 자체적으로 세 가지 의미를 부여했다. 첫째는 본연의 목적에 맞게 '육아'를 위한 것이었다. 올해 막 초등학교에 입학한 둘째와 3학년이 된 첫째의 정서적 안정을 위한 실질적이고 표면적인 이유였다. 두 번째는 지친 나를 돌보기 위함이었다. 사십이 넘도록 '쉬어봤다.'란 경험을 해보지 못했다. 점차 예전 같지 않는 몸에, 아버지가 아프시고 난 뒤, 다양한 정신적 스트레스까지 이어지며 나도 여기저기가 아픈 것 같았다. 한 번쯤 나를 돌봐야 하겠다 싶었다. 세 번째는 다소 숨겨진 히든 미션이었는데, 아버지와 시간을 더 보내고 싶었다. 1년 전 아버지의 병환을 목도하면서 육체와 정신이 분리되는 경험을 겪었던 나로서는 다른 일에 신경 쓰지 않고 더 자주 아버지를 뵈어야 하겠다는 생각이 들었다. 물론 이런저런 핑계로 얼마나 실천 가능할지 몰랐지만, 평일에 직장에 메여있는 사람보다는 좀 덜할 것 같았다.

휴직 초반에는 '육아'와 '나'를 위해 시간을 소비했다. 아침에 일어나, 아이들 아침식사를 차리고, 애들을 기상시킨다. 매일 아침 준비물로 물병을 하나씩 넣어주고, 교육부에서 학생 코로나 진단용 어플로 배포한 '건강상태 자가진단'의 항목을 체크한다. 아이들이 밥을 먹는 동안에는 딸아이들의 긴 머리를 반으로 혹은 하나로 해서 고무줄로 동여 메면, 일단 첫 번째 관문은 넘었다. 아이들은 아침에 유독 꾸물거렸기 때문에, 식사를 독려한 뒤 식사를 다하면 간단한 세안, 양치 등 화장실에서의 볼일을 처리한다. 화장실에서 나온 아이들의 옷을 입히고, 마스크를 챙겨주고 가방을 메어주면 일단 등교 준비는 완료가 된다. 이때가 매일 아침 8시 25분의 우리 집의 풍경이다.

아이들을 직접 교문 앞까지 데리고 가서 등교시키고 난 뒤, 아침 9시부터는 드디어 나를 위한 시간이 생긴다. 육아휴직 초반에는 이 시간을 어떻게 사용해야 할지 몰랐다. 한 일주일쯤 되자, 점점 시간이 안정적으로 자리를 찾아 들어가기 시작했다. 9시부터 10시까지는 운동을 했다. 간단한 조깅이나, 실내 사이클 등 공복에 할 수 있는 유산소 운동을 했다. 10시부터 11시까지는 개인적인 공부를 했다. 그간 하고 싶었는데 못했던 공부나 잡다한 잡기를 익히는 시간으로 활용했다. 11시부터 30분간은 9시쯤에 돌렸던 빨래를 널거나, 기타 잡다한 집안일을 처리했다. 11시 30분부터는 식사 준비를 간단하게 해서, 넉넉하게 식사를 하면 오전 일과는 얼추 마무리가 되었다. 1시 30분쯤이 되면, 다시 아이들이 컴백한다. 간식을 챙겨주고 학원에 보내면 2시 반이 된다. 이후 4시까지는 근육운동을 했다. 4시에는 다시 아이들을 챙겨, 두 번째 학원에 보내고 돌아와 빨래, 설거지 등을 마무리하고 저녁 준비를 했다. 아내가 5시 반쯤에 돌아오면 '휴직인'으로서의 하루는 마감되었다. 이 시간표를 몸에 익히는데 족히 3~4주가 걸렸다.

'아버지'를 위한 시간은 휴직 시간표가 어느 정도 익숙해진 3월 하순부터 가능했다. 정확히는 3월 26일 토요일이 되어서야 며느리와 두 손녀와 함께 서울행 열차를 탔다.

이 당시 아버지는 항암을 4회차인가 5회차인가 진행하셨을 때였는데 항암이 힘드셨는지 통원치료보다는 입원과 퇴원을 반복하시면서 진행하셨다. 물론 입원을 위한 PCR 검사를 매번 진행하셔야 했다. 지치고 힘든 몸과 마음을 달래 드리는 방법으로 나는 오랜만에 손녀들과 좋은 시간을 갖게 해드리려고 했다.

서울 본가에 방문하니 항암 중이셨던 아버지가 우리를 반갑게 맞아 주셨다. 아버지를 뵈니, 살은 조금 빠진 것 같았지만, 전화로 들었던 모습보다는 그래도 나아 보이셨다. 항암 중인 환자는 식사에 제약이 있지 않을까 했는데, 반찬도 이것저것 가리지 않고 한 껏 하셨다. 식사 후에는 두 손녀와 이런저런 이야기도 나누셨다. 예상보다 괜찮은 아버지를 보고 내가 여쭤보았다.

"항암 중이시라 많이 힘드실 줄 알았는데, 생각보다 괜찮으신데?"

"컨디션은 괜찮아."

아버지는 덤덤하게 이야기하셨다. 이렇게 뵙고 이야기 나누니 좋았다. 아버지가 씩씩하게 계시니 나는 또다시 무언가 힘을 받는 것 같은 느낌이 들었다. 오후 4시쯤이 돼서 미리 예약한 KTX를 타기 위해 집을 나섰다. 아버지는 손녀 둘에게 각각 용돈을 쥐어주시고는 거실에 있는 조그만 소파에 앉아 '작별인사'를 하셨다.

서울역에서 KTX를 타고 오송역에 도착해 미리 주차해 둔 차를 타고 집에 귀가했다. 귀가 시간이 저녁식사 시간과 겹쳐 근처 식당에서 외식을 하고 나서 집에 들어오니, 저녁 7시쯤이 되었다. 한 시간 뒤인 저녁 8시에 동생이 평소 보내지 않던 카톡을 갑자기 보내왔다. 카톡으로 동생과 대화를 주고받았다.

"잘 들어갔어?"

"응, 잘 갔지. 잘 들어왔다고 엄마랑 통화했어."

"그래도 오늘 애들도 오고 하니까 아빠가 힘도 나고 좋아하신 거 같아."

"그래? 그럼 자주 가야겠다."

평상시 아버지의 상태를 정확히 모르던 나는 밝아 보이는 아버지의 표정이 평상시와 같은 것으로 알았다. 더 힘을 내신 줄은 몰랐다. '애들을 보니, 더 힘이 나셨나?' 싶은 마음에, 육아휴직 기간을 활용하여 더 자주 찾아뵈면 아버지가 심적으로 더 밝아지실 거라 생각했다. 나는 그 당시에도 여전히 '희망'을 꿈꿨다.

…

3월 하순의 만남, 그날이 두 손녀와 할아버지가 만난 마지막 날이 될 줄은 몰랐다.

#9. 마지막 인사

2022년 3월이 되자 전국적으로 코로나 확진자가 무섭게 퍼져나갔다.

1일 확진자수가 30~60만까지 발생되는 상황이 며칠간 이어졌다. 그러나 아이러니하게도, 코로나 환자 수가 많아질수록 그 위험에 대한 경각심은 반대로 낮아지는 추세였다. 이제는 '한집'걸러 '한집'씩 코로나 환자가 나오는 시기가 되고 있었다.

우리 집도 3월 말에 그 '한집'이 되었다.

3월 29일 화요일에 둘째 아이가, 31일 목요일에 아내가 코로나에 연이어 확진되었다. 우리 집에서는 확진자 그룹인 아내와 둘째가 한방을 쓰고, 비 확진자 그룹인 나와 첫째가 한방을 쓰는 '각방 생활'이 시작되었다. 이 당시 정부 방침은 확진자는 7일간 격리하되, 미확진 가족은 외출이 가능한 상황이었다. 몇 개월 전만 해도 확진자 가족이 외출한다는 것에 익숙하지 않았지만, 정부의 격리 지침이 완화되면서 으레 볼 수 있는 풍경이었다. 자연스럽게 나에게는 확진된 가족을 돌보는 역할이 주어졌다. 역할이라고 해봐야 특별한 것은 없었는데, 약을 받아온다거나, 집안에 필요한 생필품을 사러가는 정도였다. 나는 그렇게 3월 29일부터 4월 6일까지 격리 가족의 일원으로서 우리 가족의 잡무를 책임졌다. 그렇게 나의 4월 초는 흘러갔다.

같은 기간 동안 아버지는 수혈과 항암을 번갈아 하시면서 계속 본인의 일정을 소화하시는 중이었다. 우리 가족의 격리가 끝나갈 때쯤인 4월 5일에 아버지는 차오르는 복수 문제와, 수혈 및 항암을 위해 병원에 다시 입원을 하셨다. 아버지는 2000cc가 넘는 복수를 뽑으셨고, 3kg에 가까운 몸무게가 빠졌다. 수혈, 채혈, 수혈, 채혈, 항암이 연속적으로 이루어졌다. 병원에 입원해 계시는 동안 아버지의 상태는 점점 더 악화되는 것 같았고, 설상가상으로 병실 내 코로나 환자가 발생해서 치료를 잠시 중단하는 상황까지 이르렀다. 장기간의 입원은 4월 13일까지 이어졌으니, 한 번의 항암치료를 위해 8박 9일의 일정을 소비한 셈이 되었다. 아버지의 4월 초도 그렇게 흘러갔다.

4월 초를 그렇게 흘려보내고 보니, 아버지의 몸 상태가 많이 심각해져 있는 상황이 되어 있었다. 현실을 제대로 인식하지 못하고 있던 내가 생각보다 심각한 상황을 인식하게 된 것은 4월 16일인 '부모님의 결혼기념일'이 되어서였다. 아버지가 비록 투병 중이시지만, 어머니에게 전화를 드려 결혼기념일을 알려드리는 것도 나쁘지 않다고 생각했다. '결혼기념일을 축하합니다.' 정도의 간단한 멘트를 생각하며, 어머니에게 전화를 드렸다.

"뭐하세요?"

"어.. 그냥 있지. 그렇지 않아도 너한테 전화 한번 하려고 했는데..."

평상시 감정의 기복이 심하지 않은 어머니의 목소리는 대부분 담담하셨는데, 그날의 어머니의 목소리는 담담과는 조금 거리가 있는 '우울하고, 힘이 없는' 목소리였다. 내가 준비한 다음 멘트인 '결혼기념일을 축하합니다.'를 막고 어머니께서 말씀을 이어가셨다.

"뭐... 좀 부탁하려고..."

"예? 뭔데요?"

"오늘 고향에서... 아빠 친척분이 '산소'를 정리하시다가 전화를 하셨어."

"'산소'요?"

"전에 할머니 계시던 자리 말고, 언덕 위로 새로 '납골묘'를 만들었나 봐. 아빠가 '나 잘못되면, 들어갈 자리는 있냐'라고 물어보셨어."

"허허허... 참나..."

나도 모르게 허탈한 웃음이 새어 나왔다.

"아빠는... 가보고 싶어 하는데, 몸상태가 가볼 상태는 아니라서, 너... 라도 한번 가볼래?"

순간 정신이 번쩍 들었다. 아무리 그래도 그 정도는 아니지. 나는 대꾸했다.

"아이고!! 나중에 생각합시다. 그건... 당장에... 너무 그렇게 생각하지 말고... 필요하면, 내가 알아서 할게."

어머니는 반문하셨다.

"일이 닥치면... 네가 언제 가니. 거길... 나도 사진으로만 봐서..."

"지금 상황이 이런데... 미리 누울 자리 보고 그러는 거... 난 좀 그래..."

나는 '그렇게', '거기', '이런데', '그러는 거' 등 알 수 없는 대명사를 나열하며, 부정적인 단어를 피하려고 애썼다.

"아니.. 아이.. 아.. 에이!!!"

무언가 다른 말을 해보려고 노력했는데 말이 쉬이 나오지 않았다. 어머니는 여러 가지 검사 수치와 진행상황 등을 고려할 때, 지금 아버지의 몸상태가 내가 생각하는 것보다 훨씬 안 좋다는 것을 표현하려고 노력하셨다. 머릿속이 마구 복잡해왔다. 어머니가 말씀하셨다.

"힘들어..."

그 '힘들어'가 어머니 본인이 힘들다는 것인지, 아버지가 힘들다는 것인지 잘 이해하기 어려웠다. 하지만 난 대꾸했다.

"힘들지. 그래요. 알았어요... 힘내고 계셔."

그렇게 '힘내시라'라고 말하고 전화를 끊었지만, 사실 그 전화통화로 나는 힘이 쭉 빠져버렸다. 두 분의 '결혼기념일 축하'의 이야기는 꺼내지도 못했다. 오히려 '이별을 준비해달라'는 부탁을 받았던 것이다.

어머니는 이 시기쯤부터 아버지의 항암 '그 이후'를 생각하기 시작하신 것 같았다. 나와 통화한 대부분의 전화통화에서 어머니는 점차 좋아지지 않는 아버지의 상태를 이야기하셨고, 아버지의 치료가 '완치'보다는 '연명'에 가까운 수준에 가까워지고 있음을 이야기하셨다. 나는 어머니가 이야기하신 '연명'이라는 단어의 뜻은 정확하게 알고 있었지만, 여전히 마음 한 곳에서는 이를 부정하고 있었던 것 같다. 아니, 부정하고 있었다.

후에 생각해 보니, 나의 '무늬뿐인 희망'과는 다르게 이 즈음엔 어머니뿐 아니라, 아버지께서도 본인의 삶을 천천히 '내려놓는 노력'을 하고 계신 것 같았다.

아버지는 음주만큼이나 '가무'를 매우 좋아하셨는데, 그중에서도 트로트를 꽤 좋아하셨다. 매주 일요일이 되면 <전국 노래자랑>을 빠짐없이 시청하셨고, 당시에는 <미스터 트롯>에 흠뻑 빠져계셨다. 아버지의 몸상태가 좋지 않았던, 그 시기에 <미스터 트롯>의 히어로인 '임영웅'이 부른 <어느 날 문득>('정유라' 원곡)의 가사를 보며, 눈물을 훔치고 계셨다고 했다.

'어느 날 문득 돌아다보니, 지나온 모든 게 다 아픔이네요. 날 위해 모든 걸 버려야는데, 아직도 내 마음 둘 곳을 몰라요... (중략)... 어느 날 문득 생각해보니, 내가 없으면 세상이 없듯이. 날 위해 이제는 다 비워야 하는데, 아직도 내가 날 모르나 봐요...'

- 〈어느 날 문득〉 가사 중 발췌 -

그때, 아버지께서 눈물을 훔치며, 어머니께 말씀하셨다고 했다.

"다... 비워야 하는데... 그게 잘 안되네..."

어머니는 이러한 상황을 인식하고 내게 또 다른 부탁을 하셨었는데, 그것은 아버지의 '외래 진료 동행'이었다. B병원의 외래진료는 '평일'에 진행되었고, 그날은 외래 후 바로 입원하여 아버지의 항암을 준비할 계획이었다. 어머니는 멀리 세종에 있는 아들이 고생할까 봐, 가급적이면 내게 평일에 찾아오라는 부탁은 하시지 않았다.

그래서 어머니께서 아버지의 평일 외래진료 동행을 요청하셨을 때 나는 사실 짐짓 놀랐다. 내가 놀란 이유는 나에게 이 부탁을 하시는 어머니의 마음을 짐작하기 어려웠기 때문이다. 나에게 '아들로서 의사 선생님을 한번 뵙고 인사나 드리면 좋겠다.'는 말씀을 하셨는데, 어머니의 말씀에서 이제는 아버지를 '놓아드려야겠다'는 심정이 느껴졌기 때문이다. 그래서 나는 그 자리가 두려웠다. 내 마음이 인정하지 않는 것만큼, 그 자리에 같이 하는 것이 두려웠다. 하지만 내가 같이 해야 하는 자리였다.

4월 20일 수요일. 아버지의 평일 외래진료 동행을 위해 서울행을 준비했다. 아이들을 학교에 보내고 나서 오송역까지 가는 버스를 탔다. 오늘 서울에 올라가면, 담당의사에게 물어봐야 할 것을 정리해 보려고 했다. 핸드폰의 메모 어플을 켜서 질문사항을 정리했다. 주요한 사항은 '현재의 상황'과 '미래의 대처방안' 크게 두 가지였다. 두 가지의 핵심사항을 다음과 같이 정리했다.

첫 번째, 현재 아버지의 상태가 치료가 가능한 수준인지, 아니면 연명만 가능한 상황인지. 두 번째, 항암을 지속할 수 있는 몸상태가 안되시는 것 같은데, 만약 항암을 중단하면 어떻게 될지.

각 유형별로 가지를 쳐서 별도의 세부적인 질문을 더 달았다. 아버지의 상태가 어쩌다 이렇게 된 것인지. 항암 때문인지, 항암 중단 때문인지. 정확하게 어디가 안 좋은 것인지. 항암 중단을 했을 때의 앞으로의 처치방안은 어떻게 되는지. 재택치료로 어느 정도까지 대처할 수 있는지. 그리고 무엇보다 '얼마나 더 사실수 있는지.' 등을 정리했다.

잡다한 생각을 하며, 서울 본가에 도착했다. 계단을 오르며 씩씩하게 소리쳤다.

"나 왔어요!"

아버지가 천천히 안방에서 거실로 나오셨다. 행동이 굼뜨다. 몸무게는 더 빠지신 듯 수척하다. 복수가 차오른다는 이야기를 계속 전화통화로 들었지만, 그 모습이 상상이 되지 않았는데 아버지의 메마른 팔다리와 달리 배는 볼록하게 튀어나와 있었다. 발에는 두꺼운 수면양말을 신으셨는데, 멀리서 봐도 퉁퉁 부어 있었다. 아마도 발이 들어가는 양말이 더 이상 없어서 수면양말을 신으신 것이라 추측했다.

이때, 처음. 내가 큰 착각을 하고 있다는 것을 실감했다. 누가 봐도 정상적이지 않은 모습. 눈물이 나오려는 것은 애써 참았지만, 내 일그러진 표정은 숨기기가 힘들었던 것 같다. 내가 덤덤하게 입을 열었다.

"힘이 없어 보이시네."

"..."

특별한 대꾸가 없는 아버지를 대신해, 어머니께서 내게 먼저 말을 거셨다.

"아빠 옷 갈아입는 것 좀 도와드려."

어머니는 아버지의 상, 하의를 내게 건네며 말씀하셨다. '옷?' 옷도 혼자서 못 갈아입으실 줄은 몰랐다. 나는 애써 태연한 척 알았다며 옷을 받아 들었다. 그때 아버지의 옷 입는 것을 도와드린 것은 내 생애 첫 경험이었다. 아버지는 거실의 좁은 소파에 앉아 나의 부축을 받아 옷을 갈아입기 시작했다. 나는 마치 갓 태어난 아이에게 옷을 입히듯 조심스레 상의와 하의를 나누어 입혔다. 복수가 찬 배 때문에 하의의 지퍼는 채울 수도 없었다. 별일 아닌데도 땀이 나기 시작했다.

병원을 가기 위해선 대중교통을 이용해야 하는데, 이 몸으론 버스 정류장은커녕 집 앞에 나가기도 힘들어 보였다. 어머니는 [동생]에게 배웠다며, 핸드폰 어플로 택시를 호출하셨다. 택시 도착시간에 맞추어 아버지는 두꺼운 발을 커다란 슬리퍼에 구겨 넣고 3층부터 1층까지 느릿느릿 계단을 걸어 내려가셨다. 햇볕을 받아 아버지의 하얀 머리가 더욱 하얗게 빛나고 있었다. 나는 아버지의 머리카락에 달라붙은 하얀 먼지를 조심히 털어드렸다. 콜택시가 도착했다. 아버지는 천천히 오른편 뒷좌석에 탑승하셨고, 어머니는 다시 입원하시면 사용할 '에코백 두 보따리'를 챙겨 안고 아버지의 왼편에 탑승하셨다.

택시가 B병원에 도착했다. 1층에서는 여전히 코로나 PCR 검사 결과를 확인하고 있었다. 나는 외래환자의 보호자 자격으로 검사 결과 없이 일단 통과되었다. 아버지와 어머니는 전날 받은 PCR 검사 결과를 보여드리고 1층을 통과하였다. 1층에서 들어서서는 2층의 채혈실로 가야 한다고 했다. 나는 그 과정을 처음 경험했었지만, 부모님 두 분은 이미 여러 번 경험하신 듯 느릿하지만 본인들이 움직여야 하는 경로를 확실하게 알고 이동하셨다.

채혈실 앞에서 번호표를 뽑고 기다리다가 아버지의 번호가 되자, 내가 아버지를 부축하고 천천히 이동했다. 지정된 자리에 착석하여 내놓은 아버지의 팔에는 이미 '주삿바늘 자국이 한가득' 있었다. 몇 개의 채혈병을 채운 뒤에 아버지와 나는 다시 느릿한 걸음으로 대기석에 와서 앉았다. 그사이 어머니는 처리해야 할 서류가 있다고 하시면서 잠시 자리를 비우셨다. 대기실에는 나와 아버지가 나란히 앉아 어머니가 돌아오시기를 기다리고 있었다.

아버지는 졸고 계신 것인지, 어지러우신 건지 대부분 눈을 내리깔고 있으셨는데, 갑자기 눈을 천천히 뜨고 나를 보시면서 힘겹게 말씀하셨다.

"언제까지... 육아휴직 기간이라고?"

"육아휴직이요? 9월 까지요."

다시 침묵이 이어졌다. 왜 아버지는 내 육아휴직의 기간을 물어보신 걸까? 나는 '9월'까지라고 이야기하면서도, 내가 그때까지 이 병든 노부를 위해 할 수 있는 일이 무엇일까 잠시 생각했다. 아버지도 같은 생각이셨을까?

잠시 뒤 어머니가 돌아오시고 나서, 우리 셋은 외래병동으로 자리를 옮겼다. 어머니가 앞장서고, 나는 아버지를 부축하면서 천천히 쫓아갔다. 느릿느릿 외래 병실 앞에 도착하셨다. 대기실은 5~6줄가량의 4인석이 2열로 있었는데, 어머니는 오른쪽 열 대기석 맨 마지막 줄의 바로 앞줄에 앉으셨고 나와 아버지는 마지막 줄에 앉았다. 아직은 점심시간이 끝나지 않아서 잠시간의 대기시간이 필요했다.

제일 앞쪽에는 종양내과를 지키는 간호사와 왼쪽 가장 앞줄에 앉은 할아버지가 보였다. 간호사는 무척 기분이 좋아 보였다. 환자에게 밝게 대하는 간호사의 모습, 사실 보기 좋은 모습이었다. 간호사는 웃으며 바로 앞에 있는 할아버지에게 큰 소리로 말을 건넸다.

"아버님! 이번에 항암이 너무 잘됐어요~ 이대로만 쭉 하시면 될 것 같아요. 호호호~"

"다 선생님 덕분이지 뭐~ 허허허."

그 밝음이 무척이나 거슬렸다. 아버지는 내 옆자리에서 불뚝 튀어나온 배 때문에 채워지지 않는 바지 단추를 내 보이시며, 초점 없는 눈을 가늘게 뜨고 계셨다. 간호사의 웃음소리가 계속 들려왔다. '아픈 환자가 이렇게 많은 병원에서 저 모습은 결례 아닌가?' 한껏 삐뚤어져 버린 내 모습에 당위성을 부여하기 시작했다.

잠시 뒤 전광판에 아버지의 성함이 뜨고, 병원의 그 기계음이 들렸다.

"0.0.0. 님. 진.료.실.로. 들.어.오.세.요."

아버지를 부축하고 느릿느릿 진료실로 들어갔다. 문을 열고 들어가 의사 선생님께 꾸벅 목례했다. 또다시 처음 보는 얼굴이다. 외과에서 내과로 변경되고 나서 처음 뵌 이번 선생님은 또렷한 '서울말'을 구사하시는 분이셨다. 나는 물어봐야 할 것을 머릿속에 체계화하기 시작했다. 선생님이 '질문 버튼'을 누르자마자 질문할 수 있도록 하기 위해서였다. 선생님은 모니터를 쳐다보시면서 매우 상냥한 말투로 다음과 같은 정보를 건네셨다.

"000님. 이번에 채혈 결과 수치가... 좋아지고 있어요. 특히 백혈구 수치가 정상범위에 들어왔어요. 뭐 속된 말로 '설레발'일 수는 있을지 모르지만, 좋은 시그널이라고 생각해볼 수 있을 것 같아요."

'응? 좋아지고 있어?' 순간 내가 물어봐야 할 것들을 망각하고야

말았다. 선생님께서 계속 이야기하셨다.

"오늘 입원해서 항암 치료하시려고 하셨죠? 그런데 지금 병실이 없어서 입원은 힘들 것 같네요. 아마도 내일까진 기다리셔야 될 것 같은데요."

"아..."

안타까운 탄식과 함께 어머니께서 물어보셨다.

"그런데 애 아빠가 복수 때문에 많이 힘들어하셔서요. 혹시 복수라도 뺄 수 있을까요?"

"복수요? 많이 힘드시면 응급실에서 복수는 뺄 수 있는데... OOO님. 많이 힘드세요? 괜찮으시면 참았다 빼시면 좋은데..."

아버지는 잠시 머뭇했으나, 그리 오래 고민하지는 않으셨다.

"빼고... 갈게요..."

"아. 그럼 간호사께 말씀드릴게요. 복수 빼고 가세요."

우리는 그 외래진료에서 아버지의 백혈구 수치가 정상범위에 들어왔다는 정보를 들었던 것과, 복수를 빼고 갈 수 있다는 것에 만족해야 했다. 나는 결국 그날 선생님께 내 '질문 리스트'에 들어있는 어떤 이야기도 하지 못했다.

복수에 대한 응급실 처리를 허락받고, 우리는 1층 응급실 앞으로 다시 자리를 옮겼다. 복수를 처리하는 데는 통상 2~3시간 정도의 시간이 소요되는 듯했다. 그 시간 동안 아들을 기다리게 하실 수 없었던 부모님 두 분은 아버지의 성함을 응급실에 등록하고 나서, 처치를 받으러 가시기 전에 느릿느릿 내게 오시며 말씀하셨다.

"얼굴 봤으니 됐어... 이제 안 와도 돼... 가..."

"그래. 너는 이제 내려가. 수고했어."

아버지와 어머니는 내게 이야기를 하시고는 천천히 응급실로 발길을 돌리셨다. 내가 대꾸했다.

"예. 갈게요. 식사 잘하셔야 돼. 억지로라도 많이 드셔요."

"그래... 알았다..."

아버지의 상태는 겉으로 보기에는 좋아 보이지 않았지만, 나는 의사 선생님의 '설레발'을 듣고 희망의 불씨를 남겨둔 채 세종으로 귀가하였다.

그날 아버지는 복수를 4000cc가량 빼셨고, 몸무게는 49kg이 되어버렸다. 복수 처리를 완료하고, 당초 계획과 달리 입원을 하시지 못한 두 분은 '입원대기'를 예약하시고 가져간 '에코백'을 그대로 들고 집으로 귀가하셨다. 다음날인 4월 21일에도 병실의 자리는 여전히 나지 않았고, 하루가 더 지난 4월 22일 금요일이 되어서야 병원에서 오후 4시까지 입원하라는 연락을 받았다. 그러나 여전히 코로나가 아버지의 발목을 붙잡았다.

4월 22일에는 부모님의 PCR 음성결과 '유효기간'이 이미 만료한 뒤였는데, 아버지의 상태를 짐작컨대 PCR을 받으러 이동하시는 것 자체가 힘든 상황이었을 것이다. 그럼에도 불구하고 예외 없는 병원의 방침으로 인해, 아버지는 다시 그 병든 몸을 끌고 오전에 병원을 방문해 PCR 검사를 시행한 뒤 다시 집으로 귀가하셨고, 오후 6시에 도착한 그 빌어먹을 '음성결과' 문자를 받아 들고, 오후 7시가 되어서야 결국 B병원에 입원을 하셨다. 아픈 것도 힘든데 PCR 검사가 환자의 아픔을 더 심각하게 하는 듯했다.

아버지는 입원까지의 험난한 과정을 겪으시면서 '체력적 한계'에 다다르신 것 같았다. 어머니는 이때, 아버지의 상황이 너무 안 좋아졌다고 생각하시고 항암을 멈춰야 할 때라고 생각하셨다. 그럼에도 아버지는 어떻게 해서든 항암의 그 과정을 완수하고자 하셨다. 어머니 말에 의하면, 의사 선생님께서 아버지의 몸상태를 보고 항암을 멈추어야 할 상황이면, 어머니께 이야기하신다고 하셨었다. 하지만, 토요일인 23일에 담당의는 아버지에게 다시 항암치료를 '명'했다. 어머니의 말씀을 비춰볼 때, 나는 의사의 '항암 가능 싸인'이 아버지에게 '아직은' 일말의 '가능성'이 있는 것으로 생각했다.

하지만 나의 생각은 말 그대로 '가능성'에 그쳤다. 아버지는 병기가 길어지면서 배에 들어차는 '복수'때문에 점점 더 힘들어하셨는데, 20일에 4000cc의 복수를 뺀 뒤, 4일 만인 24일 일요일에 다시 3000cc를, 다시 이틀 뒤인 26일 2000cc의 복수를 또 빼고 나서 몸무게가 47kg으로 더 줄었다. 복수 때문에 퇴원은 힘들었고, 항암은 다시 그 주 목요일에 진행될 예정이었는데, 이제는 항암을 멈출지, 지속할지, 언제 퇴원을 해야 할지, 계속 입원은 할 수 있는지 알 수 없는 '진퇴양난'의 상황에 빠졌다. 결국 아버지는 항암을 임시적으로 중단하시고, 일단 무너진 몸을 추스리기 위해 그 병실에 그대로 남아 계시기로 하였다.

매일 어머니와 2~3통의 전화를 주고받던 나는 아버지의 상태가 걱정되어, 일주일쯤 뒤인 4월 30일 토요일에 병원을 재방문하기로 했다. 어머니는 알았노라며, 내가 방문하는 시각에 내 여동생과 이모도 같이 와서 아버지를 뵐 수 있도록 하겠다고 이야기하셨다. 당일이 되어 나와 아내, 두 딸아이가 모두 서울에 올라갔지만, 두 딸아이는 친정에 맡겨두고 나와 아내만 B병원으로 향했다.

오후 1시쯤 되어 B병원 10층에 도착했다. B병원은 엘리베이터에서 내리면 조그마한 복도가 있었고, 복도와 병동을 가로막는 '유리문'이 있었다. 유리문을 통과하려면 등록 보호자에게만 나오는 '인증된 바코드'가 필요했는데, 나는 등록 보호자가 아니라서 병동안으로 들어갈 순 없었다. 나와 아내는 병동 유리문 밖에서 어머니께 전화를 드려 10층 병동 밖에 왔다고 말씀드렸다.

1~2분 뒤, 어머니께서 아버지를 휠체어에 태우고 천천히 유리문 너머에서 다가오셨다. 일주일새에 더 수척해지신 아버지는 '걸으실 수도 없는 몸'이 되어계셨다. 아버지의 얼굴, 팔, 다리 등 몸 전체에서 힘이 느껴지지 않았다. 그간 아버지 앞에선 한 번도 울지 않았지만, 그날 아버지의 얼굴을 보는 순간 눈물이 주체되지 않았다. 그렇게 우리 모두는 10층 병동의 바깥에 쭈그리고 앉아 아버지를 바라보며 하염없이 울었다.

"왜 이렇게 되셨어..."

그간의 과정을 직간접적으로 보아왔음에도 입 밖으로는 혓소리 같은 푸념이 흘러나왔다. 한참을 눈물, 콧물을 빼고 울며, 아버지의 얼굴을 쳐다보았다. 아버지는 내 눈과 초점을 맞추기도 힘들어 보이셨다. 무겁게 머리를 들고 반쯤 뜬 눈으로 10층 복도 끝 창문을 통해 들어오는 햇볕을 가만히 바라보셨다. 그 모습은 작년 6월 수술 전 병실에서 보았던 모습과는 또 달랐다.

아버지가 한동안 창문을 바라보시다가, 아내에게 악수하듯이 천천히 손을 내밀었다. 아내는 아버지의 손을 가만히 잡았다. 아버지는 아내의 손을 잡고 무어라 말씀하셨는데, 당시 목소리가 작고, 갈라져 있어서 나는 잘 알아들을 수 없었다.

"잘... 살아라... 고맙다..."

후에 아내에게 들은 바로는, 아버지는 아내에게 '잘 살라'는 말씀을 하셨다고 했다. 아버지는 이때 본인의 삶이 그리 멀지 않았음을 예견하셨던 것 같다. 그때쯤 동생과 이모가 10층 엘리베이터에서 내려 우리가 있는 복도 한편에 같이 합류하였다. 모두가 모이고 나서 그곳은 다시금 눈물바다가 되었다. 어머니가 들고 오신 몇 장 안 되는 휴지를 그곳에 있는 네 사람이 눈물, 콧물을 닦는데 다 써 없애버렸다. 그렇게 병동 앞 복도에서 10 여분 간의 짧은 만남이 이어졌다.

아버지가 다시 병동에 들어가실 때가 되자 동생은 휠체어에 앉은 아버지를 안으며 이야기했다.

'사랑해... 아빠...'

이윽고 어머니께서 아버지가 타고 계신 휠체어의 방향을 돌리셨고, 아버지는 등을 돌려 들어가시기 전에 내게 말씀하셨다.

"[사촌 형]하고... 같이 가서... 확인 좀 해..."

사촌 형과 함께 아버지의 '묫자리'를 알아보라 하신 거다.

"예. 알았어요. 걱정하지 마세요..."

내 걱정하지 말란 말과 다르게, 나는 그 당시 진심으로 대답하지 않았다. 그리고 마지막으로 돌아 들어가시면서 나지막이 이야기하셨다.

"이제... 오지... 마..."

그렇게 내게 오지 말라는 말씀을 또 남기셨다.

10층 병동의 유리문이 열리고 어머니가 천천히 끄는 휠체어가 멀어지며, 다시 병동 유리문이 닫혔다. 우리 네 사람은 그렇게 유리문 너머로 멀어지는 아버지와 어머니의 뒷모습을 하염없이 바라보았다.

...

그 자리는 어머니께서 아버지와 우리 가족을 위해 만드신 '실질적인 마지막 인사'의 자리였다.

3부

아름다운 이별은 없다

#10. 베넷똥과 간병인

5월이 되었다.

서울에서 돌아온 뒤, 나는 본인의 묫자리를 확인해달라고 하신 아버지의 부탁이 떠올랐다. 나는 그 부탁이 영 마음에 들지 않았지만, 언제가 될지 모를 아버지와의 이별을 나도 천천히 준비해야겠다는 생각이 들었다. [사촌 형]에게 전화를 걸어 5월 첫째 주의 일요일인 8일, '어버이날'에 묫자리 확인을 위한 동행 일정을 계획했다.

그동안 아버지는 배에 차오르는 복수로 인한 고통을 지속적으로 호소하셨다. 병원 측에서는 아버지의 고통을 조금이라도 줄여보고자, 배에 복수를 항시 빨아낼 수 있도록 복부 두 군데에 구멍을 내고 관을 삽입하는 시술을 5월 4일에 시행했다.

그리고 그 5월 4일에 나는 아내, 두 아이와 함께 여행을 떠났다. 가족의 달인 5월은 행사가 많았다. 대표적으로 5일은 어린이날, 8일은 어버이날이 있었다. 나는 한 집안의 아들이자, 또 다른 집안의 아버지로서 5월의 순차적인 일정을 처리해야 할 일종의 '사명'을 가지고 있었다. 다가오는 일정상, 5일의 어린이날이 먼저였다.

언제나 우리 집안의 행사 기획은 머리와 손이 빠른 아내의 몫이었다. 아내는 금년 5월의 어린이날과 6월의 (1일 지방선거, 4일 토요일, 5일 일요일, 6일 현충일로 2, 3일만 휴가를 내면 6일의 연휴

기간이 주어지는)'황금연휴'를 대비하여 올해 초부터 미리 여행 스케줄을 짜 두었었다. 5월은 어린이날을 포함하여 4일부터 7일까지 3박 4일의 일정으로 '여수'와 '전주'를 여행하는 일정을 기획했다. 6월은 장인, 장모님, 처제 식구들과 다 함께 제주도 여행을 떠날 예정이었다.

하지만, 4월 말에 들어서면서 아버지의 상태가 심각해지자, 나는 모든 여행을 소화할 자신이 없었다. 아내에게 아무래도 비행기를 타는 것은 마음이 너무 안 내킨다며, 6월 제주도 여행에 나는 참석하지 않는 걸로 하겠다고 이야기했다. 아내는 내가 안 가면 자신과 두 아이도 같이 갈 수 없다고 했고, 장인 장모님도 그런 상황에서 가족여행을 가기에는 무리일 것 같다며 전체 스케줄을 취소했다.

나는 그 대신 5월의 여행은 '어린이날'을 기념해서 다녀와도 좋을 것 같다고 이야기했다. 자가용으로 이동하는 것이라면, 혹여나 급작스러운 일이 발생하더라도 이동이 가능할 것이란 생각이 들었고, 아버지의 몸상태가 아무리 심각해 보였어도 당장 일주일 안에 무슨 일이 발생하진 않을 것이라 생각했기 때문이다. 우리는 '여수'에서 2박 3일, '전주'에서 1박 2일을 보내는 3박 4일의 일정을 위해, 그 5월 4일에 여행을 떠났다.

여수 여행은 사실 즐거운 시간이었다. 종종 회사에서 업무상 출장으로 여수를 방문한 적은 있었지만, 휴가를 목적으로 방문한 적은 처음이었다. 오랜만에 호텔 수영장도 가고, 지역에서 유명한 광장, 뮤지엄, 식당 등을 정신없이 들렀다. 무엇보다 탁 트인 바다를 바라보고 있으니, 어두웠던 마음을 조금이라도 잊을 수 있었다. 하지만,

내 얼굴은 쉽게 펴지지 않았던 것 같다. 내 아내는 여수 앞바다가 발 밑에서 보이는 케이블카 안에서 내게 이야기했다.

"얼굴이 왜 그러니? 얼굴 좀 펴."

"어... 아버지 때문에 그런가 보지 뭐."

아버지 핑계를 대면, 더 이상 이야기를 진행하기 어려워하는 아내였다.

그렇게 5월 5일 어린이날까지는 아이들에게 '충성'하려고 나름 노력했다. 5일 저녁이 되어서, 혼자 불 꺼진 야외 주차장에 내려와 어머니께 전화를 드렸다. 나는 여기 먼 곳 여수에서 아이들과 즐거운 시간을 보내고 있는데, 어머니는 꽉 막힌 병원에서 불편히 계실 생각을 하니 마음이 썩 편치 않았다.

"별일 없죠?"

"어. 뭐... 넌 어린이날인데 애들하고 잘 놀고 있어?"

잠시 여수 여행을 왔다는 말을 해야 할지 하지 말아야 할지 망설였는데, 사실대로 이야기하기로 했다.

"어린이날이라서, 애들하고 놀러 왔어요..."

"놀러? 어디 갔어?"

"여수... 왔어요. [아내]가 미리 끊어둔 거라 취소하기가 좀 그래서..."

"그래. 어린이날인데 애들도 놀아야지... 여수라 그랬나? 거기 뭐 놀게 있나?"

"그냥 뭐... 바닷가 보는 거지 뭐."

다시금 죄송했다. 이야기를 전환했다.

"아빠 상태는 좀 어때요?"

"복수관 달고 나서는 좀 괜찮으시데."

"식사는?"

"식사는... 아빠가 배가 홀쭉해져서 그런가... 갑자기 맛있는 게 드시고 싶으신지, [딸]한테 '보신탕' 한 그릇 사 오라 하셔서..."

"'보신탕?' 그런 걸 드실 수 있나?"

"건더기는 안 드시고 국물만 조금 드셨어."

"복수가 안차니까 조금 드실 수 있나 보다."

병원에서 듣기 생소한 단어인 '보신탕'. 그 음식의 정체와 상관없이 뭐가 됐든 드시고 싶은 게 있다는 게 어딘가. '복수관을 연결한 게 신의 한 수인가?' 싶은 생각이 들었다. 나름 또 밝은 소식인 듯해서 기분이 조금 나아졌다.

"아 그래. 재미있게 놀고. 언제 올라오니?"

"내일, 모래니까... 7일 날. 토요일에 올라가요."

"그래 알았어. 재밌게 놀다 와."

그날의 통화는 그렇게 마무리했다.

다음날인 5월 6일에는 여수의 D놀이동산에 방문했다. 큰 놀이동산이 아니어서 그랬는지, 아직 어린 두 딸들이 탈거리는 회전목마, 조그만 바이킹, 조그만 비행접시 등 몇 가지에 국한되었다. 대부분의 놀이기구가 130cm 이상이 되어야 탈 수 있도록 신장제한을 걸어두었는데, 첫째 아이의 당시 키가 128cm로 2cm가량이 모자랐다. 스펙터클한 놀이기구를 좋아하는 첫째 아이는 무척 안타까워했다. 둘째 아이도 나름 시시해하는 것 같았다.

놀이동산 투어를 마치고 점심식사를 위해 여수 근처의 식당을 찾았다. '만두전골과 파전'을 파는 곳이었는데 여수에서는 나름 유명한 '맛집'이라고 했다. 식사를 주문하고 기다리는 중에 어머니께 전화가 걸려왔다. 먼저 걸려온 이 전화가 나는 짐짓 불안했다.

"여보세요?"

"너... 내일 몇 시에 올라오니?"

다짜고짜 내일 올라오는 시간을 물어보시는 게 심상치 않았다.

"내일? 왜요?"

"아빠가... 혈압이 막 떨어지고 있어서... 의사 말은... "

이 '의사 말은...' 뒤부터 어머니의 목소리가 점차 힘없이 흐느끼는 목소리로 변하기 시작했다.

"주말을... 못... 넘길 수 있다고..."

'아... 드디어 올 것이 왔구나.' 싶었다. 머릿속에 각성제를 넣은 듯 정신이 번쩍 들었다. 어머니도 의사의 말을 내게 전달하시는 것이 힘이 드신 듯 점차 울먹이는 목소리로 변해갔다. 당시 어머니의 말을 정리하면, 어제부터 아버지는 계속 침대에 누워계셨다고 한다. 아침에 일어났더니, '의사의 말'로는 혈압이 떨어지고, 전해질 수치가 안 좋고 피가 산성화 되고 있다며, 주말을 못 넘길 수도 있고... '경우에 따라서는' 더 빨라질 수도 있다고 전했다.

"지금 올라갈 수 있어.. 아니야 올라갈게..."

"아니.. 보는 건 저번에 봤으니까.. 됐는... 데... 혹시나 임종을 맞이하면... 너네는 내일 올라온다고 했지?"

어머니는 떨리는 목소리 속에서도 우리의 여행 계획을 신경 쓰시고 계셨다.

"원래 계획은 내일까진데, 그건 신경 쓰지 않아도 되고..."

"애들은 어떻... 하니? 거기까지... 갔는데..."

"괜찮아. 신경 쓸 거 없어요..."

어머니의 목소리는 계속 떨렸다. 내가 말했다.

"일단 진정하시고... 계셔. "

울먹이는 어머니를 달래고, 머릿속으로 생각해보니 여수에서 바로 서울로 가기에는 우리 가족은 아무런 준비가 되어있지 않아서, 세종에 들러 옷가지라도 챙겨서 올라가야 할 것 같았다. 여수-세종-오송-서울-병원까지 계산해보니 족히 5~6시간은 걸릴 듯했다.

"올라갈게요.. 올라가면 돼. 근데 여기가 멀어서, 한... 저녁 7~8시쯤 도착할 거예요."

"그래... 새벽이라도... 오면 되니까... 그때 오면 될 거 같아... 그때 맞춰서... [딸]이랑 [이모]도 오라 할게."

"알았어요... 올라갈게요."

어머니와 전화를 끊고, 아내에게 상황을 설명했다. 그때, 주문한 '만두전골과 파전'이 나왔다. 아이들에게 헐레벌떡 만두전골과 파전을 먹이고, 나도 입에 만두 하나를 욱여넣고 자리에서 일어났다. 얼마나 길어질지 모를 밤을 대비해 배속을 채워둬야 할 것 같았다. 우걱우걱 만두를 씹으며 밖으로 나왔는데, 그 맛이 무슨 맛이었는지 그 집이 '맛집'이었는지는 기억에 없다.

어머니와의 전화를 마치고 우리는 그 식당에서 바로 차를 몰고, 세종으로 올라갔다. 세종으로 향하는 동안 다음 여행지였던 전주의

숙소에는 일정 취소의 양해 전화를 걸었다. 당일 취소라 1원도 환불이 안됐지만, 그런 것을 신경 쓸 정신은 없었다. 이외에 사촌 형을 포함한 몇몇 분께 아버지의 위독함을 전했다. 약 3시간이 걸리는 세종행에서 나와 아내가 잠시 운전자를 바꿀 때만 차를 멈추었을 뿐, 그 이외에는 한 번도 멈추지 않고 세종 집에 도착했다.

곧바로 서울로 올라갈 수 있었다면 좋았겠지만, 코로나는 끝까지 우리의 발목을 붙잡았다. 병원에 방문하기 위해서는 코로나 PCR 검사 결과가 필요했는데, PCR 검사 결과에 통상 하루가 걸리기 때문에 원칙적으로는 당일 방문이 불가하였다. 병원 측에서는 아버지의 상태를 고려하여 예외적으로 '전문가용 신속항원검사'를 받아오면 그날 저녁까지는 상주를 허락해주겠다고 하였다.

세종에 도착하자마자 나와 아내는 곧바로 동네에 있는 병원을 찾아 '전문가용 신속항원검사'를 요청했다. 이미 코로나에 한번 확진되었던 아내는 신속항원검사 결과 설령 '양성'이 나오더라도 '기 확진자'로 체크하면, 일종의 '증빙'이 가능하다고 했는데, 코로나에 걸린 적이 없던 나는 신속항원에서 만약 양성이 나타나면, 서울행 자체가 의미가 없어질 수도 있었다. '이럴 줄 알았으면 나도 코로나에 진즉 걸릴걸.' 하는 근본 없는 생각이 머릿속에 가득했다.

다행히도 신속항원검사 '음성 확인' 종이를 받아 든 나는 부리나케 집으로 다시 돌아와 서울행을 위한 가방을 대충 쌌다. 아내와 아이들이 준비를 위해선 시간이 더 필요했지만 내 마음은 기다릴 여유가 없었다. 아내에게 내가 먼저 떠나겠노라며 말하고는 집을 뛰쳐나왔다. 집에서부터 정류장까지 한달음에 뛰어오자마자 정확하게 BRT가 도착했고 나는 몸을 던져 넣듯 실었다.

그때 내가 끊어놓은 서울행 KTX는 오후 6시 47분 열차였는데, 버스에 앉자마자 KTX 어플을 켜고 조금이라도 시간을 당길수 있을까 싶어 이미 매진된 앞 시간대의 열차를 계속 '새로고침'했다. 그 결과 약 1시간가량 앞 당긴 오후 5시 49분 서울행 열차를 발권할 수 있었다.

KTX-서울역-지하철의 반복되는 경로 끝에 7시 30분경 병원에 도착하였다. 1층의 '코로나 검문소'는 완화된 방역지침으로 철수한 뒤였다. 1층에서 10층의 병동으로 올라가는 엘리베이터 안에서 여동생과 이모를 우연히 만났다. 그렇게 우리 셋은 일주일 만에 또다시 10층으로 향했다. 10층에 도착해 어머니에게 도착을 알리는 전화를 드렸다. 잠시 뒤, 이번에는 어머니께서 '혼자' 나오셨다.

어머니는 병동 유리문을 열고 나오셔서 상황을 설명하셨다.

"코로나 때문에 병실에는 두 명씩만 입실이 가능하데, 그러니까 일단 아들은 나하고 같이 들어가고, [딸]하고 [이모]는 여기서 잠시만 기다려."

우리는 그렇게 자체적으로 면회 조를 나누었다. 어머니는 먼저 나를 이끌고 유리문을 통과해 아버지가 계시는 병실로 성큼성큼 걸어 들어가기 시작했다. 또 따른 의미로 긴장감이 몰려왔다. 아버지가 계신 병실은 지금껏 봐왔던 4인실의 병실에 비해 크기는 작았지만, 한 명만 쓸 수 있는 1인실의 병실이었다. 나중에 들은 이야기이지만, 그 방은 '산성화 처치실'이라는 이름이 있었는데, 이 보다는 소위 '임종실'이라 불렸다. 그 1인실 입구 왼편에는 별도의 화장실이 달려있었고, 앞쪽에는 널찍한 창문이, 오른쪽에는 한 사람이 누울 수 있을 정도의 소파가 있었다. 그리고 그 병실 왼쪽 커다란 침대에 아버지가 누워계셨다.

한눈에 봐도 앙상한 몸, 얼굴은 두개골의 윤곽이 드러날 정도로 살이 빠져있었다. 이와는 다르게 발은 퉁퉁부어서 평상시보다 몇 센티는 커져 있었다. 불과 일주일도 안 된 사이에 아버지는 이제는 '일어설 수도, 앉을 수도 없는 삶의 마지막을 준비하는 모습'이 되어 계셨다. 그 모습은 그 누군가가 '더 이상의 희망은 없다.'라고 내게 말하는 일종의 '확인'과도 같았다. 어머니는 누워계시는 아버지를 향해 이야기했다.

"아들 왔어요!"

아버지는 반쯤 감겨있던 눈을 '끔뻑' 크게 뜨셨다. 삐쩍 마른 얼굴에 비해 눈을 더 크게 뜨셔서 마치 공포영화에 놀란 사람처럼 눈만 덩그러니 떠 있는 것 같았다. 아버지는 아들이 왔다는 어머니의 말씀을 들으시고 뭐라 '웅얼웅얼' 말씀을 하셨는데 사실 알아들을 수가 없었다. 추측하건대 '오지 말랬는데 왜 왔어...' 정도였던 거 같다. 아버지의 모습을 보자마자 눈시울이 붉어졌다. 그래도 담담할 수 있을 줄 알았는데, 붉어진 눈시울은 금세 닭똥 같은 눈물을 만들어내고 있었다. 멈출 수 없는 눈물을 계속 흘리며, 아버지의 손을 잡고 이야기했다.

"아... 아... 이게 뭐야..."

멈추지 않는 눈물과 함께 고해성사를 시작했다.

"아빠... 미안해... 내가 잘했어야 했는데, 그동안 잘... 못했어요..."

어머니는 아들의 말을 부정하면서 말을 붙이셨다.

"아니야. 잘했어..."

애꿎은 눈물이 계속 흘러나왔다.

"사랑합니다..."

아버지에게 '사랑한다.'는 말을 해본 적도 내 사십이 넘는 평생의 기억 속에서는 처음이었다. 무뚝뚝한 우리 집에서 서로에게 사랑한다는 말을 듣는 게 쉽지 않았었는데, 무슨 용기에선지 그 말을 꼭 해 드려야 할 것 같았고, 지금이 아니면 더 이상 할 수도 없을 것 같았다. 다만, 내가 한 말을 아버지께서 알아들으셨는지, 아닌지는 알 수 없었다. 그 뒤로도 나는 아버지의 몸을 메 만지며, 눈물과 함께 아쉬움을 표현하였다.

10여분 뒤, 어머니와 나는 동생과 이모에게 그 자리를 잠시 넘기고, 10층 병동 바깥으로 나와서 마음을 다시 추슬렀다. 잠시 뒤, 두 눈이 벌겋게 변한 채로 동생과 이모도 다시 10층 병동 바깥 복도로 나왔다. 모두들 속에 담은 눈물을 한껏 쏟고 나온 느낌이었다.

이 상황이 그리 길게 가진 않을 것 같았지만, 상주 보호자로 병실에 있을 수 있도록 허락받은 사람은 '2명'뿐이었다. 어머니는 '어머니와 내가' 당일 밤을 책임지는 것으로 상황을 정리했다. 동생과 이모는 내일 다시 방문하기로 하고, 내일 일은 그때 가서 다시 이야기하기로 하였다. 동생은 돌아가면서 혹시라도 간밤에 무슨 일이 생기면 꼭 다시 연락을 달라하고 집으로 돌아갔다.

잠시 뒤, 아내에게 전화가 걸려왔다.

"지금 친청에 도착했는데, 올라갈까?"

"아니야... 오지 마. 지금 와도 어차피 금세 다시 가야 돼."

병원의 보호자 제약 등 아내가 지금 와도 볼 수 없는 표면적인 상황을 이야기했다. 친정에서 병원까지는 최소한 1시간은 걸리는 거리였고, 면회에 허락된 시간은 길어야 10분 남짓이었다. 설상가상으로 둘째 아이는 장시간 차에서 나오는 에어컨 바람을 잘 못 쐬었는지 미열기가 있어서 그날은 그냥 친정에 있으라 전했다. 아내에게는 그렇게 전했지만, 사실은 너무나도 고통스러워 보이시는 아버지의 모습을 아내에게 보이기가 힘들었고, 아버지도 그것을 원하시지 않을 것 같았다.

그 뒤에는 사촌 형에게도 전화가 걸려왔고, 현재 좋지 않은 아버지의 상황을 전했다. '5월 8일에 잡은 약속'에는 같이 못 갈 것 같으니, 나 대신 형이 묫자리를 확인해달라고 부탁했다. 사촌 형은 내 부탁에 알았다고 하고는 상황이 변하는 데로 연락을 주라는 말을 남겼다.

8시 30분경부터 병실엔 아버지, 어머니와 나 이렇게 세 사람만 조용히 남았다. 한껏 울고 나니 어느 정도 정신이 차려지는 듯했다. 아버지의 침대 옆에는 가로, 세로 30cm가량의 네모난 '환자 감시 모니터'가 있었는데, 그 화면에서 나온 선들이 아버지 몸 이곳저곳에 연결되어 있었다. 그 모니터는 아버지의 생체신호를 화면에 보여주고 있었는데, 기계의 제일 위쪽에는 별도의 '녹색 등'이 들어와 있었고, 모니터 화면에는 상단부터 녹색 'ECG', 파란색 'Sp02', 노란색 'Resp' 란 '약어'가 붙어있었다. 약어 옆 화면에서는 각각의 색을 가진 생체신호가 일정한 파형을 유지하면서 반복되고 있었다.

자리에 앉아 핸드폰으로 검색해 찾아보니, 각각 '심전도', '산소포화도', '호흡'을 나타낸다고 하였다. '이 선이 멈추면 돌아가시는 건가?' 그 뒤로도 한동안 이 알지 못하는 선의 움직임을 계속해서 바라보았다.

내가 '기계 공부'를 하는 동안 어머니는 듣고 계시는지 아닌지 알 수 없는 아버지의 손발을 주무르시면서 다양한 말을 건네셨다. 그동안 어머니는 울었다, 멈추었다를 반복하셨다.

그렇게 또 한두 시간이 훌쩍 흘렀다. 아버지의 몸을 주무르시던 어머니께서 갑자기 '아버지가 변을 보신 것 같다.'라고 이야기했다. '변?' 이건 또 뭐지 싶었다. 어머니는 아버지의 바지를 가만히 들춰 살펴보셨다. 아버지는 생전 처음 보는 커다란 성인용 종이기저귀를 차고 계셨다. 기저귀를 젖히니 검붉은 액체가 아버지의 하반신을 뒤덮고 있었는데, 단순한 대변하고는 좀 달랐다. 나는 생전 처음 보는 것이었는데, 어머니는 이것을 '베넷 똥'이라고 표현하셨다. 내가 '간호사를 불러야 하나?' 망설이는 동안, 어머니는 태연하게 비닐장갑과 물휴지, 일회용 비닐과 깨끗한 새 기저귀 하나를 준비하셨다. 준비하시는 와중에도 계속 말씀을 이어가셨다.

"어제저녁에 4인실에서 지금처럼 베넷 똥을 보셨는데, 혼자서 아빠를 들고 치우는데 같이 있는 사람들한테 어찌나 미안하던지... 여긴 그래도 혼자 있으니까 좀 낫네... 너도... 장갑을 껴."

어머니는 전날 아버지의 뒤처리를 혼자 하는 데 있어서의 고충과, 같은 병실을 쓰시는 분들께 전하는 미안함을 이야기하셨다. 아버지가 그 '베넷 똥'을 보신 지 얼마나 되었는지 모르겠으나, 그간 아버지의 뒤처리를 하고 계셨을 어머니의 모습을 생각지 못했다. '내가 진짜 불효자 구나.' 싶은 생각이 들었다.

어머니는 누워있는 아버지의 오른편에 서시고, 내게 왼편에 서달라고 부탁하셨다.

"뭐... 뭘 어떻게 해야 돼요?"

나는 조금 복잡했다. 그게 생전 처음 맡아보는 베넷 똥의 이상한 냄새 때문인지, 아니면 아버지의 몸을 이리저리 만져야 하는 내 손길 때문인지 계속 헷갈렸다. 나는 어머니의 지휘 하에 아버지의 오른 어깨를 잡고 몸을 90도로 들었다. 그러면 어머니는 물수건으로 아버지의 하반신에 묻은 '베넷 똥'을 정성스럽게 닦아 주셨다. 다소 조심스러웠던 내 손길과는 다르게 어머니의 손길은 부드러웠지만 익숙했다. 중간중간 아버지는 본인의 몸에 힘을 주어 어머니의 손길이 보다 용이하게 닿을 수 있도록 '협조'하셨다. 도대체 언제부터 이렇게 되신 걸까? 어머니의 손길이 익숙하고 태연할수록 내 마음은 죄스러웠다. 이 정도의 상황을 마주할지는 솔직히 몰랐다.

어머니의 직업전선을 잠시 수정할 필요가 있을 것 같다. 어머니가 평생 본업인 '미싱'만 하신 것은 아니었다. 그 힘든 일에서 벗어나 보고자 본업 이외의 몇 가지 일을 해보시려고 '시도'하셨었다. 그러나 결국 '배운 게 도둑질'이라며, 다시 미싱 바닥으로 돌아오긴 하셨지만.

2019년 언제인가 정확히는 모르겠지만, 어머니는 미싱을 그만두고 새로운 일을 배우고 싶어 하셨고, 그렇게 택하셨던 일이 우연찮게도 바로 '간병인'이었다.

아시는 분의 추천으로 이 일을 시작하기 위해서, 몇 가지 교육을 이수하셨다. 코로나가 발발한 직후인 2020년 2월부터 어머니는 새롭게 획득한 '스킬을 장착'하시고 간병인 업무를 시작하셨다. 그러나 간병인 업무도 그리 녹녹지 않았다. 무엇보다도 아픈 사람을 상대해야 했고, 육체노동이 필요한 일이었기 때문에, 어머니는 마음과 몸이 모두 아픈 경험을 계속하기 힘들어하셨다.

코로나가 기승을 부리던 한동안 이 일은 계속되었다. 격주 간격으로 PCR을 검사를 해야 하는 것은 덤으로 주어지는 일에 불과했다. 어머니의 점차 힘들어지는 노동에 나도, 동생도, 아버지도 일을 그만두라고 종용했었다. 그럼에도 불구하고 코로나로 인한 일손부족을 호소하는 병원의 요청을 쉽게 뿌리치지 못하시고 그 후에도 몇 개월간 그 힘든 일을 지속하셨다. 하지만 결국, 2020년 8월까지 6개월 간의 '직업적 외도'를 끝마치고 다시 '미싱 바닥'으로 회귀하셨다.

…

아버지가 몸이 불편하시고 나서, 어머니는 이때 배운 스킬을 아버지에게 활용하시며 이야기하셨다고 했다.

"내가 이 일을 배웠으니까 하지... 아무리 그래도, 이걸 남편한테 쓸 줄 어떻게 알았겠어?"

아버지는 어머니의 손길을 받으며 이야기하셨을 게다.

"여보... 고마워... "

#11. 죽음의 카운트다운

저녁에 이르자 슬픔이 잦아들고 졸음이 찾아온다.

간단하게 양치와 세수를 하고 소파에 앉아 다시 그 '환자 감시 모니터'를 반복적으로 쳐다보는 시간을 가졌다.

그 뒤로도 아버지는 두세 번에 걸쳐 베넷 똥을 보셨고, 그때마다 어머니는 팔을 걷어붙이셨다. 세 번째 베넷 똥을 치우는 때쯤 되니 나도 이 순번을 알아차릴 수 있게 되었다. 그러나 아버지의 몸을 정성스럽게 닦아주시는 어머니의 손길은 여전히 적응하기 어려웠다. 돌이켜 생각해보면, 어머니는 마지막 순간까지도 아버지의 몸이 깨끗하길 바라셨던 거 같다. 그 당시도, 그 이후도...

횟수가 거듭되어도 여전히 꼼꼼한 어머니의 손과는 다르게, 아버지의 몸은 점차 그 '협조의 힘'을 잃어갔다. 세 번째 베네똥을 치울쯤엔 아버지는 자신의 몸을 팔로 지탱한다던가, 엉덩이를 살짝 들어 기저귀를 입히기 쉽게 한다던가 하는 움직임이 없어졌다. 그러한 상황이 오자 나는 더 힘을 주어 아버지의 몸을 들어야 했는데, 혹시라도 내가 과하게 힘을 주어 아버지의 몸이 상할까 걱정되었다. 그렇게 소통 없는 일방적 간호가 점차 진행되고 있었다.

시간이 점차 더 흘러 어두운 저녁이 되었다. 어머니는 잠시 사라지시더니, 어디선가 파란색 '접이식 침대'를 하나 끌고 오시면서 이야기하셨다.

"조금이라도 자. 눈 붙일 수 있을 때 자 둬야 돼."

병원 구석구석을 알고 있는 어머니가 어디선가 접이식 침대를 빌려오셨다. 1인실의 소파에는 한 명밖에 누울 수 없었기 때문에, 어머니는 나에게 소파를 양보하시고, 일반병실에서 접이식 침대 하나를 빌려오셨다. 병실에 들른 간호사는 원래 일반병실 침대는 가져오면 안 된다면서도, 내일 오전에는 꼭 '반납'하셔야 한다고 주의를 주고 돌아갔다.

나는 아버지의 침대 위에 있는 조그마한 환자 전용 등만 켜 두고 병실의 불을 소등했는데, 그러고 보니 어두운 방에 아버지의 얼굴만 더 환하게 비치고 있었다. 아버지가 혹시라도 눈이 부셔서 잠에 드시지 못할까 걱정되신 어머니는 손수건을 돌돌 말아 안대를 만들어 아버지의 눈을 살짝 가려주셨다. 그렇게 밤을 맞을 준비를 마쳤다.

어머니는 병원생활이 몸에 익은 듯 접이식 침대를 오른쪽 벽에 붙어있는 소파에 붙여 길게 펴시고는 아버지와 같은 방향으로 몸을 뉘이셨다. 나는 아버지와는 반대방향으로 어머니와 머리를 맞댄 채 소파에 누웠다. 어머니는 벌써 며칠째 고된 간호에 금세 얕은 코골이를 시작하셨다.병실의 조그마한 불빛만 켜 둔 채 우리 셋은 그렇게 어두운 병실에 조용히 누워 있었다. 5월 6일 저녁이 지나, 언제 7일이 되었는지 모르게 하루가 지나가고 있었다.

시간이 얼마나 흘렀는지 모르겠다. 잠이 어느 정도 깊이로 들었는지도 모르겠다.

"삐!"

갑자기 기계음이 어두운 병실의 정적을 깼다. 흠칫 놀란 나는 고개를 들어 네모 박스를 쳐다 보았다. 환자 감시 모니터의 가장 상단에 있던 '녹색 등'이 '주황색 등'으로 바뀌며 몇몇 수치가 낮아지고 있었다.

'아... 이거 어떻게 해야 되지?'

내가 속으로 우물쭈물하는 동안 그 '주황색 등'은 다시 '녹색 등'으로 바뀌었다가 '주황색 등'으로 바뀌었다가를 반복했다. 이 등은 색이 변경될 때마다 그 "삐!"소리를 반복했다. 이 등의 역할을 처음 알게 된 순간이었다. 이렇게 점차 아버지가 생명의 끈을 놓고 있는 것 같았다.

그 뒤로 시간이 조금 더 흘렀다. 몇 시쯤 되었는지는 모르겠지만, 아직 해가 뜨지 않은 어두운 밤이었다. 어머니는 조금 더 깊은 잠에 드셨고 나는 여전히 간헐적으로 들려오는 "삐!"소리에 잠을 설쳤다. 그때, 아버지가 갑자기 입을 여셨다.

"무흘.. 무흘.."

아버지는 갑자기 '물'을 달라 말씀하셨다. 어머니는 깊은 잠에 드셔서 아버지의 목소리를 듣지 못하신 것 같았다.

"물이요? 알았어요... 잠시만요."

물? 물? 물이 어디 있더라. 어두운 병실 한편에서 어머니가 꺼내 놓은 생수병이 눈에 보였다. 생수병의 물을 종이컵에 조심히 옮겨 담고, 종이컵의 한쪽을 손톱으로 살짝 접어 '간이 주둥이'를 만들었다. 아버지의 침대에 달려있는 버튼을 눌러 아버지의 상체를 일으

켜 세우고, 아주 조금씩 물을 드렸다.

내가 아주 소량의 물을 드리는 것에 성이 차지 않으셨는지 아버지는 계속 그 "무흘..."을 외치시면서 허공에 손을 들어 흔드셨다. 아마도 본인이 물컵을 들어 크게 한 모금 들이키고 싶으셨던 것 같았다. 하지만, 아버지의 손가락은 이미 물컵을 쥘 힘도 없어 보였고 팔만 허공에 휘젔는 모양새였다. 아버지의 상태를 봤을 때, 많은 물을 드릴 순 없을 것 같았다. 입만 적시는 형태의 물공급이 계속 이루어졌다.

그렇게 10분 정도 아버지는 '앉은 자세'로 계셨다. 말이 앉은 자세지, 침대에 기대어 상체가 접혀있는 자세라고 표현하는 것이 맞을지도 모르겠다. 아버지는 그 자세에서도 몸에 힘이 없어 제대로 앉지 못하시고 자꾸 한쪽으로 기우셨다. 그 순간 아버지가 갑자기 구토를 하셨다. 어떤 알갱이를 뱉으셨다기보다는 알 수 없는 거무튀튀한 물이 흘러나왔다. 그 구토의 색과 냄새가 어머니와 열심히 치웠던 '베넷 똥'과 같았다. 순간 당황한 나는 휴지를 들어 아버지 입 옆으로 흘러내리는 알 수 없는 액체를 닦아냈다. 겉으로 흘러나온 액체는 어찌어찌 닦아낼 수 있었는데, 목 안에 일부 액체가 조금 남아있었는지 아버지가 숨을 쉬실 때마다 살짝 '그르렁'하는 가래 낀 소리가 같이 들려왔다.

아버지의 모습이 너무 불쌍했다. 그런 아버지를 보고 있는 것이 너무 힘들었다. 이렇게 죽음과 사투하는 아버지의 모습을 보는데 적잖은 용기가 필요했고, 그걸 지금껏 감내하셨던 어머니의 모습이 더 존경스럽게 느껴졌다.

그 뒤로도 아버지는 종종 물을 찾으셨고, 어머니는 자다 깨다를 반복했다. 나는 계속 병실에 울리는 "삐!"소리와 함께 그 불규칙하게 변하는 생체신호를 쳐다보았다. 그렇게 5월 7일의 새벽이 지나가고 아침이 밝아왔다.

아침 8시쯤이 되자, 환자 감시 모니터의 '등'은 간헐적으로 '녹색'으로 변했지만 많은 시간은 '주황색'을 유지하고 있었다. 하지만 이 주황색이 언제까지 유지될지는 알 수 없었다. 이대로 반나절이 될지, 혹은 며칠을 보낼지도 모른다. 멀진 않겠지만 알 수 없는 시간을 계산해야 하는 상황에 놓였다. 그 와중에 어젯밤의 간호사는 그 파란색 '접이식 침대'를 치워야 한다며 들어와서 내게 이야기했다.

"아드님은 오늘도 계시려면, PCR을 받으셔야 될 것 같습니다."

"PCR이요? 그걸 언제... 신속항원을 다시 받으면 안 될까요?"

"어제는 상황이 조금 심각해서 '예외적'으로 허용해 드린 것이고요. 계속 계시려면 PCR을 받으셔야 할 것 같습니다."

아버지는 생사를 헤매고 계신데, 어느 세월에 PCR을 받으러 가야 할지 답답했다. 간호사가 내게 PCR주문을 한 그때, 아내에게 전화가 걸려왔다. 오늘쯤은 병원에 방문해도 되는지를 물어보기 위한 전화였고, 나는 지금의 상황을 에둘러 표현했다.

"지금... 아빠가... 눈으로 보기가 힘든 상황이야... 의식도 없고... 어차피 네가 와도 뭘 할 수 있는 것도 없고... 엄마는... 어차피 일 생기면, 그때 와도 되니까 지금은 안 와도 될 거 같다고 하셔..."

아내는 내 말의 중간중간에 "어..." 하는 추임새만 넣었을 뿐, 특별한 대꾸는 없었다. 나의 일방적인 대화가 계속 이어졌다.

"그런데... 지금 이 상황이 얼마나 갈지는 모르겠네... 일요일까지 큰일이 없으면 내려가야 되는데... 너도 출근하고 애들도 학교 가야 되잖아? 근데... 아빠가... 일요일을 넘기신다고해도... 오래 못 가실 것 같아... 아무튼.. 현재 상황은 그런 상황이야."

나는 계속 아내가 병원을 방문하지 않아도 될 이유와 함께, 일요일 이후에 다시 일상생활을 어떻게 해야 하는지에 대한 고민을 이야기했다. 현재 상황이 복잡하긴 했는데, 일단 정리가 필요했다.

"너는 그냥 처가댁에 일단 있어. 난 일요일까진 병원에 있을 거니까, 상황이 변하는 것을 보고 맞춰서 하자."

와이프는 이러지도 저러지도 못하는 상황에서 일단 알겠다고 하고는 전화를 마무리했다. 하지만, 우리의 이런 고민은 사실 그리 오래가지 않았다.

오전의 시간이 어느 정도 흐르자, '어젯밤의 간호사 선생님'은 '그날의 간호사 선생님'으로 바뀌어있었다. 아버지를 담당하셨던 '그날의 간호사 선생님'은 수시로 들어오셔서 채혈을 하신다던가, 환자 감시 모니터의 수치를 기록한다던가 하는 것으로 아버지의 다양한 상태를 점검하셨다. 그 간호사 선생님께서 7일 아침 두 번째인가 세 번째쯤 들어오셨던 10시쯤, 아버지의 '그르렁' 하는 호흡소리를 듣고는 조금 이상하다며 이야기했다.

"호흡이 조금 이상하네요..."

"간밤에 살짝 구토를 하셨어요... 물밖에 나온 게 없긴 한데..."

"아... 그래요?"

내가 간밤에 살짝 구토를 했다고 이야기하자, 간호사는 알았다며 잠시 사라졌다가 몇 가지 물품을 들고 다시 나타났다. 간호사가 들고 온 것은 입에 물리는 딱딱한 '플라스틱'과 '긴 호스관', '미니 펌프' 같은 것들이었는데, 아버지 목에 껴있는 이물질을 빼내기 위한 용도의 물건이었다.

구멍이 뚫린 딱딱한 플라스틱을 살짝 벌린 아버지 입에 넣고, 그 안에 호스를 넣고 펌프에 연결해 아버지 목에 걸린 이물질을 빼내기 시작했다. "윙~!!" 소리와 함께 검붉은 가래 같은 이물질이 빨려 올라왔다. 아버지는 고통스러우신지 그 딱딱한 플라스틱을 '꽉' 힘주어 물고 계셨다. 몇 초간 펌프를 작동했지만, 그 '그르렁'소리를 완전히 없애지는 못했다. 간호사는 어느 정도 이물질을 빨아내고서는 호스를 빼낸 뒤, 아버지가 물고 계신 플라스틱을 빼내려고 했다. 하지만, 아버지는 마치 마지막 힘을 짜내듯이 그 플라스틱을 '꽉' 무시고 놓지 않았다.

"000님! 놓으세요! 놓으세요!!"

그렇게 한참의 실랑이 끝에, 아버지가 플라스틱을 물은 턱에 힘을 푸셨다. 진땀을 뺀 간호사는 들고 온 장비를 정리하면서 우리에게 이야기했다.

"이제... 처치는 여기까지만... 하겠습니다."

그 뒤로 그날의 간호사 선생님은 대략 1시간에 한 번씩 들어오셔서 환자 감시 모니터의 숫자들을 기록하시고 나가시기만 할 뿐 어떠한 처치도 하지 않으셨다. 더 이상의 처치는 병원도, 환자에게도 의미가 없다고 판단한 듯했다. 어머니는 혹시 몰라 간호사에게 물어보았다.

"혹시 이런 상황이 며칠간 지속될 수 있나요?"

"..."

간호사는 대답 대신 조심 스래 고개를 가로저었다.

...

우리는 이러한 상황이 오기 전에 '연명치료'에 대한 이야기를 나눈 적이 있었다. 혹시 더 이상 자발적 호흡이 안 되는 경우 중환자실로 이송하여 강제 호흡을 하도록 하는 것이 이 '연명치료'인 모양이었다. 이 과정에는 분명 '치료'라는 이름이 붙어있었지만, 실질적으로 치료보다는 '임종의 기간을 단순히 연장'하는데 의미가 있는 것 같았다. 이를 수행해야 할지 말아야 할지에 대해 아버지와 어머니가 먼저 의견을 나누셨는데, 아버지는 연명치료는 받고 싶지 않다고 말씀하셨고, 이에 어머니도 동의하셨다. 어머니께서는 내게 '너는 어떠냐'며 의사를 물어보셨는데, 나 역시 '아버지의 뜻'대로 하시길 바란다며 두 분의 결정에 동의했다. 아마도 [동생]에게도 같은 형태의 질문을 하셨을 거라 생각했다.

어느덧 시간이 흘러 12시쯤이 되니, 환자 감시 모니터는 '주황색 등'이 계속 들어와 있는 상태였다. 아버지는 규칙적인 호흡을 유지하려고 노력하시는 듯했지만, 점차 호흡이 가빠지고 커져있었다. 전에 비해 호흡하는 동안 가슴이 더 크게 올라왔다가 내려갔다가를 반복했고, 아버지의 들숨과 날숨의 숨소리 도 더 크게 들려왔다. 다른 모든 수치들은 이미 눈에 띄게 나빠져있었다.

간호사 분들의 별도의 처치가 없었기 때문에, 우리는 계속 아버지의 크게 움직이는 가슴과 환자 감시 모니터만 응시할 뿐이었다. 이때쯤부터는 아버지가 버틸 수 있는 시간이 그리 멀지 않았음을 현실적으로 직감할 수 있었다.

12시에서 1시 사이에 동생과 이모가 다시 병원에 도착했다. 아버지를 포함한 다섯 명은 그 독실에 둘러서서 다시금 눈물을 쏟아냈다. 지나가다 그 광경을 지켜본 간호사는 병실 내 '2인 규칙'을 이야기하며, 여기에 다 몰려계시면 안 된다고 하고는 규칙을 지켜줄 것을 요청하셨다. 나와 어머니가 잠시 자리를 비우기로 하였다. 동생과 이모가 병실을 지키는 동안 어머니와 나는 또다시 잠시 병동 바깥으로 나와 숨을 골랐다.

이제 어떻게 해야 할지에 대해 잠시 동안 어머니와 대화를 나누고 있었을 이때가 대략 1시쯤이었던 것으로 생각된다. 갑자기 병동 안에서 간호사가 뛰어나오며 이야기했다.

"보호자분들!! 그냥 들어오세요!!"

우리는 간호사를 따라 병동을 '뛰어'들어갔다. 그렇게 다시 다섯 명이 병실에 모였다. 환자 감시 모니터 상단의 등은 "빨간색"으로 변해있었다.

갑자기 기계에서 나오는 소리가 더 자주, 더 크게 들리는 듯했다.

"삐! 삐! 삐! 삐!..."

시끄러운 환자 감시 모니터의 소리와는 다르게, 아버지는 생체신호는 더욱 낮아지고 있었다. 아버지는 그렇게 천천히 낮아지는 생체신호를 우리에게 보여주시는 것으로 '마지막 대화'를 시작하셨다. 우리 모두는 침대를 둘러 아버지의 몸을 어루만지며 대화를 건넸다. 동생, 이모, 나 모두 아버지의 그간의 고통을 위로하고 앞으로의 평안을 기원했다. 그중에서도 어머니의 말씀이 가장 아버지의 마음에 와닿을 것 같았다.

"여보... 그동안... 사랑해줘서 고마웠어요... 이제 편히 가셔도 돼요..."

어머니는 그렇게 아버지에게 건네는 마음을 정리하셨다. 우리들의 이야기에 반응하듯, 커졌던 호흡은 어느새 점차 잦아들고 있었고, 이에 따라 아버지의 숨소리도 점차 작아지고 있었다. 우리가 할 수 있는 것은 가만히 그 네모난 기계에서 나오는 숫자와, 소리에 눈과 귀를 기울일 뿐이었다.

'아... 이제 끝이 다가오는 것 같다.'

마음속에서 내가 이야기했다. 노란색 'Resp'(호흡)에 적힌 숫자가 점점 낮아졌다. 이제 시끄럽게 "삐! 삐! 삐! 삐!..." 울려대는 소리는 배경 소리에 불과했다. 호흡수가 '20'에서 '10'으로 낮아졌다가, 다시 '15'로 올랐다가 다시 '10'으로 낮아지는 '롤러코스터'가 반복되었다. 마치 '죽음의 카운트다운'이라도 하듯 숫자의 진폭은 점점 천천히 낮아져 들어갔고, 아버지의 들숨과 날숨의 높낮이도 천천히 낮아졌다. 마치 평온하게 숨을 쉬는 것처럼 귀를 기울여야 들릴 정도로, 아버지의 숨소리도 점점 작아지고 있었다. 5... 3... 5... 3... 그렇게 반복되는 노란색 호흡수는 끝까지 멈추지 않을 것 같았다.

그렇게, 한참을 멈추지 않던 'Resp'가 드디어 천천히 0에 가까워졌다. 그 힘겨운 마지막 숫자의 움직임은 아버지가 우리에게 건네는 '진짜 마지막 인사'같은 느낌이 들었다.

'모두들 안녕...'

이미 다른 수치들은 모두 멈추었고, '스타카토'처럼 들리던 소리는 어느덧 연속된 소리로 바뀌고 있었다.

"삐-----------------------------------"

호흡수가 드디어 '0'을 가리켰다. 아버지의 들숨날숨도 어느새 멈추어 있었다. 살며시 벌린 입에서는 어떤 기척도 느낄 수 없었다.

그대로 1~2분가량이 지났다. 우리 모두는 아무 말 없이 가만히 아버지를 바라볼 뿐이었다. 갑자기 다시 모니터의 'Resp'가 벌떡 일어나 뛸 것 같은 느낌이 들었다. 그게 무슨 의미가 있겠냐만은...

곧이어 의사인지 간호사인지 모르는 남자분이 정체 모를 '하얀 기계'를 수레에 담아 끌고 들어오셨다. 그 남자분은 아버지와 환자 감시 모니터를 연결하고 있던 수많은 선을 제거하고, 곧이어 그 '하얀 기계'에 주렁주렁 달린 전선을 아버지의 팔목, 발목 가슴 등 몇 군데에 부착했다. 그러자 그 기계에서 '다시' 생체신호가 잡히기 시작했다. '아... 아직 살아계시는구나.' 아버지는 미동도 없이 가만히 누워계셨지만, 그 기계는 마치 아버지의 몸에 붙은 영혼과 '교감'이라도 하듯이 마지막 신호를 쫓고 있었다. 그 남자분은 1분여의 짧은 간격으로 그 생체신호를 종이로 출력해 살펴보았다.

내가 이 와중에 시계를 흘깃 바라보았더니, 1시 59분에서 2시로 변하고 있었다. 이윽고 그 하얀 기계의 생체신호마저 천천히 잔잔한 수평선과 같은 형태로 바뀌어 있었다. 그 일직선으로 표기된 종이를 출력한 뒤 잠시 그대로 서 있었다. 병실의 누구도 입을 여는 사람은 없었다. 잠시 뒤 의사 가운을 입은 여자분이 들어오셔서, 그 종이를 건네받고, 어머니께 보여드리며 나지막하지만 절제된 감정으로 말씀하셨다.

"저희가 혹시 모를 생체신호를 살펴보기 위해 별도로 정밀검사를 진행한 차트이고요. 보시는 것처럼 신호가 더 이상 잡히지 않습니다."

어머니는 알아들었다는 듯 조용하게 "예..."라고 대꾸하셨다. 이윽고, 그 여자 의사분은 그 병실의 모든 사람이 들을 수 있도록 '아까보다 조금 더 큰 목소리'로 이야기했다.

...

"2022년 5월 7일 오후 2시 2분. 000 씨 사망하셨습니다."

#12. 안치

'사망선고' 후 병실 안은 적막 했다.

여느 드라마처럼 통곡을 한다거나 하는 분위기는 아니었다. 사뭇 조용한 분위기와는 다르게 내 마음속의 무언가는 다르게 움직였다. 내 몸의 일부가 뜯겨 나간 듯이.. 엄청나게 괴로운 감정이 휘몰아쳤다. 아버지의 영면. 말이나 글로 설명할 수 없는 감정, 순식간에 나를 지탱하던 커다란 무언가가 무너진 느낌이 들었다. 누가 편안한 죽음을 이야기했던가? 세상에 편안한 죽음은 없다. 모두가 괴로웠다. 나는 우선 아버지가 돌아가셨음을 아내와 사촌 형에게 전화를 걸어 전했다.

"아빠가... 2시 2분에... 돌아... 가셨어..."

분명 의사에게 들었던 그 '사망선고'를 똑같이 전달했을 뿐인데도, 나는 그 '문장'을 입에 올리기 힘들었다. 반쯤 울음 섞인 나의 목소리에 그들도 내게 아무런 위로의 말조차 남기기 힘들어하는 것이 느껴졌다.

"이제 저희가 정리를 해야 할 것 같습니다. 보호자분들은 잠시 밖에서 대기해 주시면, 저희가 정리 후 다시 말씀드릴게요."

간호사의 적막을 깨는 목소리가 나오기 전까지 우리는 몇 분을 더 아버지의 움직이지 않는 육신을 어루만지며 그 아쉬움을 달랬다. 미처 정신을 차리기도 전에, 우리는 떠밀려 나오듯이 병실에서 나와 10층 병동의 유리 출입구 바깥으로 내몰려졌다. 그래도 눈앞에서 멀어지니, 감정을 추스르는 데는 도움이 됐다. 저마다 슬픔을 유지한 채, 차분히 유리창 너머의 간호사들의 움직임에 주목했다.

잠시 뒤 간호사의 재호출이 있었다.

"정리가 다 되었습니다. 잠시 들어와서 인사 나누세요."

간호사의 호출 이후 다시 병실에 들어가니, 아버지의 몸에 치렁치렁 달려있던 수 많던 링거줄이 제거되어 있었다. 아버지의 메마른 얼굴과 듬성듬성한 머리카락을 메 만지며, 다시금 흐르는 눈물을 주체할 수 없었다. 아버지는 복수 때문에 마지막까지 힘들어하셨는데, 복부 양쪽을 뚫어서 연결해 놓은 두 가닥 호스의 끄트머리는 마지막까지도 제거되지 않았다. 어머니가 여쭤보셨다.

"이 호스는 안 빼시나 보죠?"

"예..."

간호사들은 별다른 이유를 설명하지 않았지만, 아마도 복부 깊이 박혀있는 관을 제거했을 때 생기는 또 다른 문제를 우려했던 것 같다. 그럼에도 불구하고, 어머니는 가급적 아버지의 몸을 깨끗하게 하고 싶으셨던 것 같다. 아버지의 홀쭉해진 배와, 그렇지 못한 퉁퉁해진 발을 어루만지며, 아버지의 배에 여전히 박혀있는 1~2센티가량 되는 두 가닥의 호스를 제거해드리지 못한 것을 못내 아쉬워하셨다. 잠시 뒤, 처음 보는 '착해 보이는 청년'이 '파란색 관 모양의 텐트'가 쳐진 베드를 끌면서 나타나더니, 우리가 있는 병실로 들어왔다. 파란 텐트는 딱 아버지의 모습을 가릴 수 있을 정도의 크기였는데 아마도 이동 중에 다른 사람이 볼 수 없도록 가리는 용도인 듯했다. '저 파란색 텐트 안으로 들어가시는 거겠지?' 우리 모두가 그렇게 생각하며 하염없이 그 모습을 응시했다.

"이제 아버님을 옮기셔야 할 거 같습니다."

이제는 장례준비를 해야 했다. 아버지의 상태가 위중해지기 시작하면서, 우리 가족이 장례에 대한 이야기를 나누지 않은 것은 아니다. 어머니는 당초에 이곳 B대학병원 장례식장 말고, 아버지가 마지막까지 거처하시던 동네 인근에 있는 허름한 장례식장을 먼저 제안하셨다. 아버지의 지인분들이 보다 쉬이 왕래하실 수 있도록 말이다. 그러나 나는 생각이 조금 달랐다. 아버지의 마지막 스마트폰 배경화면에서 보았던 박사 가운 입은 모습을 떠올리며, 이왕 모실 거면 국내에서 최고 중 하나로 꼽히는 Y대학병원의 장례식장으로 모시는 건 어떠냐고 제안드렸었다.

아버지가 막상 돌아가시고 나니, 장례식장에 대한 다양한 계산들을 할 정신적인 여력이 없었다. 무엇보다 고인을 마음대로 움직이는 게 심적으로 너무 죄송했다. 우리는 그간의 다양한 논의가 무색하게, 아버지의 마지막 임종을 책임졌던 B대학병원의 장례식장으로 결정하였다.

"다른 병원 장례식장으로 옮긴다고 하셨죠?"

"아니요. 그냥 여기서 하려고요..."

간호사의 간략한 물음에 그렇게 대답했다. 경우에 따라 다른 병원의 장례식장으로 고인을 이동하는 별도의 절차가 있는 모양이지만, 해당 방식으로 진행하지 않아 그 방식은 정확히 모르겠다.

장례식장이 결정되자, 병원은 일사불란하게 움직였다. 우리는 다시 병실 바깥으로 쫓겨났는데, 잠시 뒤 파란 텐트 침대가 다시 모습을 드러냈다. 우리는 병동의 엘리베이터에 파란 텐트와 그것을 운전하시는 착한 청년과 함께 탑승했다. 어머니는 엘리베이터를 타시며, 아버지의 임종을 같이 했던 그 간호사분께 말씀하시며 목례하셨다.

"그간 고생하셨어요."

조그마한 엘리베이터 안. 생명이 꺼진 아버지의 시신과 파란 텐트, 그리고 우리 넷. 분명 옆에 있는데, 만질 수도 볼 수도 없었다. 적막이 감돌았다. 지하 1층에 도착해 착한 청년은 가장 먼저 아버지의 시신을 '안치실' 앞으로 옮겼다. 안치실 앞에서 어머니는 통할 리 없는 요청사항을 하셨다.

"저기 안에 넣어야 하나요? 답답할 건데... 조금 이따 넣어주시면 안 되나요?"

갑자기 내가 앓고 있는 '폐쇄공포증'이 떠올랐다. 저 좁은 냉장고가 얼마나 답답하실까? 가끔 죽음 이후를 생각하면, 그 좁은 사각형의 관이 답답해 미칠 지경인데, 저 빛도 통과하지 않는 냉장고 안은 얼마나 답답할까? 요청이 무색하게 착한 청년은 지금 바로 고인을 안치하지 않으면 안 되는 상황임을 설명하였다.

아버지가 안치실에 안치되고 난 뒤, 잠시 대기하였다. 모두가 헛헛한 마음을 감출 수 없었으나, 장례식을 준비하려면 또 마음을 다잡을 필요가 있었다. 잠시 뒤 장례식장 귀퉁이 '사무실'이라는 조그마한 팻말이 붙은 곳에서 조금 전 보았던 착한 청년이 다시 모습을 드러냈다.

"사무실로 가시면 될 것 같습니다."

'이제부터 시작이다.' 나는 당당해 보이고 싶었다. 아버지를 잃은 슬픔이야 감출 필요가 있겠냐만, 아버지를 보내는 곳에서의 상주로서의 일종의 책임감이 나를 휘감았다. 일단은 걸음을 힘차게 또박또박 걸었다.

사무실 안으로 들어가니, 착한 청년 말고 사납게 생긴 아저씨가 한 분 더 계셨다. 두 분이 나누는 말을 들어보니 착한 청년이 부사수이고 싸나운 아저씨가 사수쯤 되는 것 같았다. 그 당시 내 눈에 뭔가 씌운 게 확실하지만 싸나운 아저씨는 지극히 공손한 말투, 태도와는 다르게 뭔가 계산적으로 보였다. 다시 한번 말하지만, 그 당시 내 눈에는 온 세상 사람들이 다 '싸나워' 보였을지도 모른다. 싸나운 아저씨는 사무실로 들어온 우리에게 제일 먼저 화장 여부를 물어보셨다.

"매장하실 건요? 화장하실 건가요?"

"화장입니다."

그 당시 우리는 아무것도 결정하지 못했지만, 매장과 화장은 확실하게 결정되어 있었다. 요즘 세상에 매장하는 경우도 드물고, 화장 후 옮길 종중의 납골당 혹은 납골묘가 있었기 때문에, 화장으로 결정된 상황이었다. (정작 그 납골묘는 다음날인 '5월 8일' 방문할 예정이었지만...)

싸나운 아저씨가 어떻게 컴퓨터를 조작하는지 여전히 모르겠으나, 컴퓨터에 앉아 전국의 화장터를 검색하시는 듯했다. 아버지는 9일에 발인이 필요했고, 9일에 예약이 가능한 화장터를 알아보셨다.

"장지가 어디세요?"

"청주입니다."

다시 컴퓨터로 무언가를 찾았다.

"서울은 그 날짜에 다 찼고요. 수원하고 청주가 있는데, 수원에서 하시는 게 나을 거 같은데요? 가시는 길이기도 하고.."

"예.. 수원으로 해주세요."

"수원에서 오후 1시로 예약하겠습니다."

연구를 하며 빈번히 접했던 님비(NIMBY) 시설인 장사시설, 관내 비용과 관외 비용의 과다한 차이 등이 어렴풋이 머리를 스쳤다. '이렇게 쉽게 정해도 되나?' 싶은 생각이 들다가도, 막상 신경 쓰고 싶지 않았고, 그 외에도 신경 써야 할 일이 너무 많았다.

싸나운 아저씨는 곧이어, 우리가 앉은 동그란 테이블로 오셔서 검은색 파일 안에 있는 다양한 서류들을 펼쳐 보이며, 먼가 한참 각 요소별 단가와 소요비용을 이야기하셨다. 내 여유로운 태도와는 달리 현실적인 비용을 계산해야 했다. 장례식을 위한 기본비용은 일수에 따라 부과되는 장례식장 대관 비용, 고인에 대한 안치비용 등이 있으며, 1회성 지출비용인 화단, 상복, 관, 수의 등과 추가되는 양에 따라 부과되는 식대 등의 비용이 있다. 경우에 따라 냉장고 사용비용, 도와주시는 아주머니들의 일당 등의 추가되었다. 여기에 더해 발인 시에 이동을 위한 대형버스 및 운전기사분의 일비까지 포함된다.

B대학병원의 장례식장은 지하 1층에 총 4개의 호실이 있었다. 아

버지가 돌아가신 날 장례식장에 비어있는 호실은 두 개였는데, 하나는 비교적 컸고, 하나는 매우 작았다. 우리는 그중 상대적으로 큰 '2호실'을 택했다. 사람이 많이 오든 적게 오든 상관없었다. 그냥 좁은 게 싫었다. 나머지는 전체적으로 적당한 것으로 골랐다. 영정사진은 동생이 미리 골라둔 사진을 사용하였다. 체크무늬 셔츠를 입은 젊은 시절의 아버지의 모습이었는데, 지금 방금 보았던 아버지의 모습과 너무 달라서 가슴이 그리 동하는 모습은 아니었다. 내가 작게 이야기했다.

"작년 7월 1일 생신에 사진을 찍었더라면 좋았을 텐데..."

당초 작년 7월 1일의 계획대로 였다면 우리는 보다 현실적인 영정사진을 얻을 수 있었을 것이다. 영정사진 좌우로 놓이는 꽃은 어머니의 의향이 반영되어 백만 원이 넘는 국화가 가득한 화단으로 구성하였다. 하객들에게 대접해야 할 식사의 반찬까지 고르고 나면, 그 작은 사무실에서의 결정은 일단 마무리되었다. 지금껏 들인 비용을 대략 계산해보니 천만 원 정도는 필요하겠다 싶었다. '고인을 앞세운 눈탱이.' 몇 가지 단가를 보며 들었던 생각이다. 아마도 장례식장에서는 현실물가의 반영보다는 3일의 장례기간 동안에 받게 되는 부의금의 적정규모를 고려하여 장례식장에서 받을 수 있는 수익의 크기를 계산할 것 같다는 생각이 잠시 들었다. 평소 같으면 따져 물었을 터무니없는 단가에도 우리는 별다른 이의를 제기하지 않았다.

우리가 사무실에 있는 동안 아내가 장례식장에 도착했다. 두 아이는 처가댁에 일단 맡겨두고 헐레벌떡 병원을 찾은 모양이었다. 아내까지 합류하고 나니, 우리 가족은 어머니, 나, 동생, 이모와 아내로 다시 다섯 명이 되어 있었다.

그 '소소하지 않은 결정'이 끝나고 우리 가족은 우리가 결정한 그 2호실의 넓은 식당에 둘러앉았다. 잠시 멍했다. 잠시 뒤 장례식장 사무실에서 '유형화된 부고문'을 상주인 내 카카오톡으로 전송해 주셨다. 고인의 성함과 장례식 장소, 주소와 상주인 나를 비롯해, 며느리, 딸, 손, 배우자, 처제 순으로 늘어진 명단, 발인과 장지까지 적혀있었고, 하단에는 부의금 계좌와 근조화환을 보낼 수 있는 버튼까지 갖춰진 그럴싸한 부고 카드였다. 혹자는 편리한 이 부고 카드에 감탄할 수 있을지 모르겠지만, 누군가의 죽음이 세련되게 포장되어 결국 '경제적 상품'으로 치부되는 것 같은 씁쓸함이 내겐 느껴졌다. 그보다도 고인과 관련해 적혀있는 사람의 순서가 맘에 들지 않았다. 끝까지 옆에서 고생하셨던 어머니의 성함이 무엇보다 위에 있어야 할 것 같았지만 가장 밑에 있었다.

부고문을 받았으니, 이제 연락만 하면 될 터였다. 연락을 해야 하는데 어디에 연락을 해야 할지 판단이 서지 않았다. 회사, 대학원, 대학교, 고등학교까지 내가 살아온 역순으로 내려가니, 중학교 친구들, 초등학교 친구들과 무심히 살았던 지난날이 잠시 스쳐갔다. 손꼽은 그룹에 연락을 해야 하나 말아야 하나 망설였다. 예전부터 누군가에게 무엇을 주지도 않고, 받지도 않으며 살아왔었기 때문에, 한편으로는 부고문을 돌리는 게 미안했고, 다른 한편으로는 아버지가 돌아가신 이 시점에 누군가로부터 위로받고 싶은 마음도 있었다. '여기서 겸손은 사치다.' 몇몇 그룹에 연락을 돌렸다.

잠시 뒤에 처음 보는 통통한 아저씨가 찾아왔다. 통통한 아저씨는 상복을 대여 및 판매하는 분이셨는데, 나에게는 검은색 양복 상의 및 하의와 넥타이, 하얀색 와이셔츠와 '하얀 바탕에 검은 두줄이 들어간 완장', '상주'라는 한자로 적혀있는 리본을 주셨다. 나 이외의 네 분의 여성분들에게는 투피스로 구성된 여자 상복을 건네주고 가셨다. 와이셔츠, 넥타이, 완장은 구매였고, 나머지 상복은 모든 절차가 끝난 뒤 반납해야 할 물품이었다. 이 상복 등의 물품은 이전 '사무실'에서 일괄 결제할 물품에는 포함되어 있지 않아 별도의 계산이 필요하였다. 빈소에 앉아 은행 어플에 접속해 계좌이체를 했다. 이후에도 많은 계좌이체가 필요한 사항이 발생할 것 같아. 우리집 '기재부 장관'인 아내에게 향후 건건이 발생될 계좌이체 및 결재를 부탁했다.

…

옷을 갖춰 입고, 아무것도 없는 빈소에서 또 멍한 시간을 보냈다. 사진도 없고, 꽃도 없고 아무것도 없었다. 심지어 아버지는 차가운 안치실에 놓여 계신데, 빈소에 앉아 있는 게 의미가 있나? 하는 생각마저 들었다.

#13. 상주와 접객

상주(喪主). 장례식의 주관자.

우리나라에서는 장례식의 '상주'는 대게 맞아들이 맡는다. 아들이 없는 경우는 사위나, 손자가 맡게 된다. 한국 나이 44세, 당연하다는 듯이 아버지의 장례에서 나에게는 첫 상주의 역할이 주어졌다. 남성 중심의 장례문화를 가진 우리나라에서는 변화되어야 할 문화 중 하나라는 생각이 들었다. 상주의 역할은 크게 고인에 대한 여러 가지 확인과 결정, 조문객들의 접객과 기타 자잘한 사항에 대한 결정을 해야 하는 역할이 따랐다.

아무것도 하기 싫었지만 모든 것을 책임져야 했다. 텅 빈 빈소에 앉아 내가 무슨 일을 해야 하나 생각하기 시작했다. 잠시 뒤 안치실에서 그 예전의 착한 청년이 하얀색 옷을 입고 찾아왔다.

"상주님. 아버님 약품 처리하기 전에 확인이 필요합니다."

처음 부여받은 역할에 난 무얼 해야 할지 모르는 어린아이처럼 반문했다.

"예? 제가 확인하면 될까요? 아니면 가족들과 같이 가면 되나요?

"아니요. 상주님만 오시면 됩니다."

눈빛으로 어머니께 보낸 'SOS 신호'를 간파당했는지, 고인에 대한 확인은 나만의 역할로 한정됐다. 착한 청년을 따라 들어간 안치실에는 네모난 문이 1, 2층으로 나뉘어 줄지어 있었다. 2층의 어느

칸 앞에 선 착한 청년은 내게 물었다.

"고인의 성함이 어떻게 되시죠?"

"0.0.0.입니다."

이름을 확인한 청년은 2층에 있는 한 문을 열었다. 마치 드라마와 같이, 그것도 범죄 스릴러물에서나 보던 기다란 선반 위에 노란색 보자기를 머리에 얹은 아버지의 육신이 보였다. 선반을 잡아당겨 약 1미터 정도 빼낸 착한 청년은 얼굴에 덮여있던 노란색 보자기를 걷으며 아버지의 얼굴을 내게 확인시켰다.

"0.0.0. 님, 맞으신가요?"

"네.... 맞습니다..."

몇 시간 전 보다 수척해진 아버지의 얼굴을 직접 대면하기도 어려웠고, 말을 잇기도 쉽지 않았지만, 대답을 해야 했다. 내 눈이 다시 붉어졌다. 곧이어 확인 절차를 마친 착한 청년은 아버지를 다시 안치하겠다는 말을 전했다. 나는 감사하다는 말과 가벼운 목례를 하고 그곳을 빠르게 빠져나왔다. 붉은 눈시울 때문인지 모르겠지만, 나는 그곳에 오래 있기가 너무 힘들었다.

빈소로 돌아와 흐르는 눈물을 감추고, 다시 멍한 시간을 보냈다. 잠시 뒤 그 착한 청년은 이제는 검은색 정장을 말끔히 차려입고, 아버지의 영정사진과 아버지의 성함이 적혀있는 위패를 들고 나타났다. 무슨 '1인 기업'도 아니고, 비교적 크지 않은 장례식장에서의 사무실 직원은 1인 다역이 필요한 모양이었다. 조금 전에 동생이 건네었던 '체크무늬의 와이셔츠를 입은 아버지의 사진'은 사무실에서의 빠르고, 적절한 보정을 통해 '양복 입은 영정사진'으로 바뀌었는데 바뀌고 보니 평소에 양복을 거의 입지 않으셨던 아버지의 모습과는 너무 달라 오히려 더 어색해 보였다.

아버지의 영정사진을 빈소에 이미 마련되어 있는 네모난 틀에 끼우고 백라이트의 스위치를 켜니, 아버지의 사진이 빛을 받아 환하게 빛났다. 착한 청년이 돌아가고 나서 잠시 뒤, 제단 위에 놓일 백만 원이 넘는 국화 다발이 배달되었고, 설치기사 분이 좌우로 적절히 배치해 주셨다. 이제야 무언가 형태를 갖추게 되고 나니, 장례식이라는 단어와 어울리는 모양새가 되었다. 나는 환하게 빛을 받은 아버지의 얼굴을 한동안 멍하니 쳐다보다가, 제단에 놓여있는 양초와 향을 피워 장례식에 '나름의 생명'을 불어넣었다.

접객을 위한 본격적인 준비를 시작해야 했다. 우리는 '사무실'에 상차림을 도와주시는 아주머니 한 분을 첫째 날 오후 시간대에 배정해 달라고 부탁드렸다. 아주머니는 오후 4~5시쯤 접객실로 도착하셔서 나름의 노하우를 통해 주방을 정리하셨다. 아직은 아무도 방문하지 않는 텅 빈 접객실에서 아주머니는 심심하신지, 우리 가족이 몰려있는 곳으로 오셔서 이야기하셨다.

"오늘 영화배우 '강수연'이 죽었네요?"

영화배우 '강수연'. <씨받이>와 <아제 아제 바라아제>등의 굵직한 작품으로 누구보다 빠르게 월드스타의 칭호를 얻었던 여자배우. 1966년 생. 2022년 한국 나이로 57세의 젊은 나이에 아버지와 같은 날 생을 마감하였다. 우리는 그의 젊은 나이를 안타까워했다. 아버지에 비해 10년 이상 젊은 나이에 요절을 했고, 딸린 식구 하나 없는 듯해서, 그녀의 떠나는 길이 무척 외로울 것 같았다. 그에 비하면 아버지는 몇몇의 식구가 그 슬픔을 나눠하고 있으니 우리 스스로 우리의 처지가 나아 보인다며 위로했다. 한편으로는 강수연 배우께 감사한 마음까지 들었다. 적어도 그녀 때문에, 많은 사람이 아버지가 돌아가신 5월 7일을 기억해 줄 것 같았기 때문이다.

오후 5시쯤이 되니, 여러 곳에 아버지의 부고가 전달이 되었는지, 인터넷 뱅킹을 통해 부의와 안타까운 마음을 담은 조문의 글이 도착했다. 손목에 차고 있던 스마트 밴드가 진동을 보내왔다. 중국산 저가 밴드치고는 성능이 좋아 애용하는 모델이었다. 코로나19 이후, 장례식장이 바글바글한 조문은 그리 달갑지 않은 모양새가 되어 버린 이후였다. 한 분 한 분 감사한 마음이 컸으나 일일이 답장을 드리기에는 내 마음의 여유가 그 당시에는 무척이나 부족했다. 부의금이 점차 쌓일수록 감사한 마음과 함께, '그래도 장례는 치를 수 있겠구나.' 하는 현실적인 안도감이 느껴졌다.

우리가 빌렸던 '2호실'은 1호실과 3호실의 사이에 있었는데, 빈소와 객실이 약 2미터의 통로로 나누어져 있어서 빈소에서 조문을 하고 앞에 마련된 객실로 이동하여 간단한 식사를 할 수 있는 형태였다. 1호실과 3호실은 우리보다 먼저 이용하신 분들의 근조화환이 줄지어 서 있었다. 중간에 끼여있는 우리 2호실에는 근조화환이 하나도 없어서 벽의 색이 하얗게 보이는 것이 못내 마음에 걸렸다. 평소 허례허식 얼마나 신경 썼는가와 상관없이, 무언가 죄송한 마음이 들었다. 여전히 성숙하지 못한 내 마음을 알았는지, 나와 가족의 지인분들이 근조화환을 하나둘씩 보내시더니, 마침내 장례식장 벽의 색을 확인할 수 없는 화환 도열이 완성되었다. 후에는 내가 졸업한 대학원의 근조기와 교사로 재직하는 동생 덕에 서울시 교육감의 근조기까지 받고 나니 빈소의 외연적 형태는 완성이 되었다.

저녁이 되면서 예상외로 많은 분들의 조문이 이어졌다. 아버지가 돌아가신 5월 7일은 요일로는 토요일이었고, 다음날인 5월 8일은 어버이날과 석가탄신일(음력 4월 8일)이 겹쳐있는 날이었다. 이러한 이유로, 토요일에는 서울 바닥 전체에 교통량이 엄청나게 많았었는데, 그럼에도 불구하고 서울로 상경한 많은 분들께서는 서울의 끄트머리에 마련된 장례식장까지 어려운 방문을 해 주셨다. 그 복잡함을 뚫고 저녁 늦게라도 식장을 방문해주신 분들께 죄송하고 또 감사했다.

사촌 형도 저 멀리 천안에서 서울의 교통체증을 뚫고 저녁 8시쯤이 되어 도착했다. 심적으로 기댈 수 있는 사람이 늘어나서 인지 나도 다소 안정감을 찾을 수 있었다. 사촌 형은 이후의 모든 일정을 우리 가족과 함께 해 주었다.

조문객은 천태만상이었다. 조문 복장을 제대로 갖춰 입지 않은 것은 정말 별일이 아니었고, 양말에 구멍 난 분, 아버님께 절을 일 배만 올리는 분, 심지어 절할 때마다 팬티의 색깔을 보여 주시는 분까지 참 버라이어티 했다. 내 아내는 아버님 영정사진의 건너편에서 조문객의 뒷모습을 바라보는 위치였는데, 결국 검은색 옷에 형광색 팬티를 입으신 분이 조문을 하는 동안 터져 나오는 웃음을 참기 위해 고개를 돌려야 했다.

제각각의 조문객을 만나 뵙고, 인사를 드렸다. 코로나19 때문에 조문 시에도 마스크를 쓰고 계셔서 정확히 알아볼 수는 없었지만,

대략적인 분들은 눈에 익었다. 내가 잘 모르는 분들은 대충 나이를 짐작 건데 동생의 지인이거나, 어머니의 지인분들이었다. 그마저도 확인이 어려운 분들에게는 가급적 정중히 여쭈어보았다.

"아버님과는 어떤 관계이신가요?"

아버지는 일만큼이나 음주가무를 즐기셨고, 산을 즐기셨다. 산에 오르고 내려오셔서 하는 음주가무는 특히나 좋아하셨었다. 각종 산악회 친구분들은 나도 어머니도 잘 모르시는 분들이 더러 계셨다. 그중에는 아버지의 단골 'H홍어집'의 사장님도 계셨다. 참 별나게 사셨다 싶었다.

신기하게도 조문객들의 반응에 내 감정이 반응했다. 대부분의 조문객들은 가급적 비통한 심정을 보여주시고자 하셨는데, 그게 연기인지 진짜 가슴에서 우러나오는 것인지는 확인할 길은 없었다. 그중에는 격한 감정을 이기시지 못한 분들도 계셨다. 아버지에게 절을 올리시며 통곡하시는 분들, 아버지의 영정사진에 대고 한 풀이를 하시는 분들이 계셨다. 욕인지 한풀이인지 모를 조문객분들의 괴성을 듣고 있으면 나도 모르게 눈물이 또 흘렀다.

"야! 이... 새끼야!! 왜 먼저 갔어... 이 자식아... 아주 나쁜 놈이야.. 이거... 흐흑..."

아버지의 장례식이 치러지는 동안 아버지의 핸드폰을 통해 안타까움을 전해오는 분들도 계셨다. 아버지도 포함된 단체 채팅창에는 아버지의 부고를 전하시는 분들이 적잖이 계셨다. 직접 걸려오는 몇몇의 수신 전화는 내가 대신 받아 응대했다.

아버지의 핸드폰으로 통화를 마친 뒤 배경화면 물끄러미 바라보았다. 박사 가운을 입고 한껏 웃고 계신 모습. 내 몸의 물들이 얼굴로 몰리는 느낌이 들었다. 배경화면 구석에 있는 문자 아이콘에는 '미수신' 부호가 가득 있었다. '미수신' 부호가 떠 있는 문자 아이콘을 눌러보았다. 아버지가 돌아가신 날로부터 약 일주일 전 문자부터는 옆에 붉은색 '1'의 숫자가 떠 있었다. 아마도 그때부터는 핸드폰의 문자도 확인을 못 하실 만큼 상태가 안 좋아지셨던 것 같다. 미확인 문자를 바라보니 다시금 눈이 붉어졌다. 미확인 문자 중에는 내 둘째 딸이자 아버지의 둘째 손녀가 보낸 문자도 있었다. 문자를 가만히 눌러보았다.

'2022년 4월 30일 토요일/ 친할아버지 아프지마세용♡'

아이들 엄마가 둘째 딸의 옆구리를 찔러가며 보낸 문자이겠지만, 친 손녀가 보낸 '아프지 말라'는 문자도 확인을 못하셨다. 눈물이 다시 흘러내렸다. 아버지의 핸드폰을 접어 빈소 옆에 있는 탁자에 조용히 올려두었다.

…

그 이후에도 아버지의 핸드폰은 장례식이 치러지는 삼일 내내 주인 잃은 강아지 마냥 여기저기를 돌아다니며 울어댔다.

#14. 감성과 이성, 감사와 반성

장례식의 둘째 날에는 입관으로 시작된다. 첫째 날 저녁에 그 착한 청년은 다음날 오전 8시 30분경에 아버지를 '입관'하겠다고 알렸다. 나에게는 입관을 위해서 필요한 서류인 '사망진단서'를 발부받아 제출해줄 것을 부탁했다.

사망진단서. 그 이름만큼이나, 부담스러운 서류. 첫째 날 저녁 11시쯤이 되자, 조문객의 방문도 뜸해진 것 같아. 나는 아내와 함께 그 '사망진단서'를 발부받으러 병원 1층의 원무과로 향했다.

저녁시간이었기 때문에 1층의 원무과에 근무하시는 분들은 이미 모두 퇴근하셨었고, 우리는 저녁시간에 서류를 요청할 수 있는 응급실의 원무과로 향했다. 당시 B대학병원의 응급실 원무과는 2평 남짓한 공간에 남성 두 분이 근무 중이었다. 먼저 오신 분들의 서류처리가 완료되길 기다리다가 내 차례가 되었다. 대략 50대 중후반으로 보이는 응급실 직원을 마주했다. 그분은 대뜸 나에게 물어왔다.

"무슨 일로 왔어요?"

그 당시의 분위기를 글로 표현하는데 적잖은 한계가 존재하지만, 그분은 상당히 신경질적인 말투로 검은 양복에 상주 완장을 찬 나를 마치 하대하듯 물어왔다. 순간 기분이 너무 안 좋았다. 아버지의 상중(喪中). 내 손으로 발부받고 싶지 않은 '사망진단서'를 받으러 간 그 자리에서 그 지겹다는 듯한 말투는 내 심기를 건드리기 충분했다.

"사. 망. 진. 단. 서. 받으러 왔습니다."

나는 '사망진단서'라는 단어를 또박또박 이야기하는 것으로, 나의 기분이 좋지 않음을 표현했다. 이 정도에서 알아들어주셨으면 참 좋겠다는 무언의 대꾸였다. 나의 이런 소심한 대꾸에도 불구하고, 그 불친절한 아저씨의 태도는 변화가 없었다. 나에게 종이와 펜을 툭 내밀고는 이어 말했다.

"이름하고 번호 적어요."

나는 그 아저씨가 내민 종이에, 아버지의 성함과 입원 번호를 기재한 뒤 다시 내밀었다. 그러자 그분은 컴퓨터로 잠시 검색을 하시더니, 나를 쳐다보지도 않고 물어왔다.

"관계가 어떻게 돼요?"

"제가 아들입니다."

입원해있던 병원에서 사망진단서를 발부받기 위해서는 입원기간 동안의 병원비 지불 처리를 완료해야 했는데, 입원 번호로 검색하면 이미 등록되어 있는 어머니의 계좌에서 돈이 알아서 빠져나가는 시스템이었다. 몇백만 원의 병원비를 결제하고 나서 나에게 느릿느릿 영수증을 뽑아주며 말했다.

"사망진단서 몇 부 필요해요?"

"10부 주세요..."

10부의 사망진단서가 뒤편에 놓인 프린터에서 천천히 출력되어

나왔다. 그 출력된 사망진단서를 내게 건네는 것으로 그곳에서의 행정처리는 마무리되었다. 그곳을 나오며 아내도 내게 작은 목소리로 말했다.

"정말 놀랄 정도로 불친절하네..."

나는 그분이 내게 무슨 억하심정이 있어서 그랬다고 생각진 않는다. 하루에도 얼마나 많은 아픈 사람을 상대하고 돌아가신 분의 사망진단서를 얼마나 많이 출력하겠는가. 그래도 부모 잃은 슬픔을 조금이라도 헤아리는 마음이 있는 사람이라면 고인의 가족에게 불쾌감을 심어줄만한 행동은 하지 않았으면 하는 마음이 크게 들었다.

나는 그렇게 아버지의 사망진단서 10부를 뽑아 들고 다시 장례식장으로 돌아왔고, 돌아오는 길에 사무실에 들러 사망진단서 1부를 내일 있을 입관용으로 제출하였다. 나머지 사망진단서는 동생과, 이모, 아내의 회사에 부친의 사망을 증빙해야 하는 용도나, 추후 아버지의 재산과 관련한 상속 등에 활용될 예정이었으므로 각자 필요한 만큼의 진단서를 나누어 가졌다.

그날의 모든 행사를 마무리하고, 우리는 그 길었던 하루를 정리해야 했다. B대학병원의 장례식장은 가족실이 별도로 마련되어 있지 않았기 때문에, 우리는 조문실과 객실로 나누어 잠자리를 정했다. 나와 아내는 조문실에서, 나머지 가족은 객실에 누워 잠을 청했다. 베개나 이불 따위는 없었다. 객실에 있는 분들은 식탁과 식탁 사이에 빈 공간에 방석을 반으로 접어 베개를 대신하였다. 객실은 그나마 소등은 가능했다. 조문실에서 잠을 청하는 나와 아내는 불을 켜

둔 채 조문실 바닥에 누워 그대로 잠을 청했다. 평소 딱딱한 바닥에서 취침을 하지 못했던 아내도 그날은 별수 없이 방석을 침대 삼아 잠자리에 들 수밖에 없었다.

둘째 날 아침까지 자는 둥 마는 둥 새벽녘에 일찍 자리에서 일어났다. 심적으로 힘들었던 어제를 보낸 뒤 이제는 다시금 힘을 내야 한다는 의무감이 들었다. 화장실에 들러 간단한 세안을 마치고 어제와는 다르게 머리도 곱게 빗어 넘겼다. 둘째 날에는 마지막으로 아버지를 뵈어야 하니 나름 말끔한 모습을 보여드리고 싶었다. 하지만, 입관 시간이 다가오니, 다시금 기분이 우울해지기 시작했다.

아침 8시 30분이 되니 어제의 그 '착한 청년'은 '똑 부러진 여성' 분으로 바뀌어있었다. 아마도 착한 청년은 어제의 당직이었고, 이 똑 부러진 여성분은 오늘의 당직인 모양이었다. 그 여성분은 온몸에 비닐 가운을 두르고 나타났다.

"가족분들. 입관식 진행하겠습니다."

우리 가족은 어머니를 필두로 나, 동생, 이모와 아내, 사촌 형 그렇게 여섯 명이 그 좁은 장례식장 복도를 따라 일렬종대로 안치실로 향했다. 안치실에 들어가니, 누런색의 수의를 입고 두발을 가지런히 모으고 있는 시신 한 구가 눈에 들어왔다. 얼굴을 가리고 있었으나 직감적으로 아버지임을 알 수 있었다. 온몸에 이곳저곳을 동여맨 흰색 끈을 보고 있으니 답답함이 또 몰려왔다. 다시 눈물이 차오르기 시작했다.

"고인을 뵙겠습니다."

똑 부러지는 여성이 아버지의 얼굴에 덮여 있던 천을 걷어내자 아버지의 얼굴이 보였다. 하루 만에 아버지의 얼굴은 또 달랐다. 어제보다 더 마른듯한 얼굴, 더 노래진듯한 얼굴이 눈에 띄었다. 돌아가시는 그 순간 살짝 벌려있던 입은 여전히 다물어지지 않았다. 우리는 다시 그 자리에서 통곡했다. 오히려 사망선고 직후보다 더 크게 울었던 것 같다. 아마도 아버지를 보고 울 수 있는 '마지막 기회'라서 그랬던 것 같다. 입관 이후는 다시는 아버지를 볼 수 없었다. 어머니는 아버지의 머리에 손을 대고는 이미 수없이 이야기하신 말을 한 번 더 되풀이하셨다.

"고생하셨어요. 편하게 쉬세요..."

우리 모두도 저마다 가슴속에 있는 말을 한 번씩 되풀이하는 시간을 가졌다. 그렇게 우리에게는 1~2분가량의 시간이 주어졌다. 가만히 우리의 모습을 보고 있던 '똑 부러지는 여성'분은 마치 시험 감독관처럼 우리에게 시간이 그리 많지 않음을 상기시켰다.

"이제 마무리를 해야 할 것 같습니다."

저마다 아버지의 몸에 매달리듯이 기대어 있던 우리는 모두 일어나 감정을 추슬렀다. 똑 부러지는 여성분의 지휘 하에 우리는 아버지 몸에 둘러져 있던 하얀 끈을 좌우에서 잡고, 아버지를 조심 스래 들어 나무로 만들어진 관속으로 안치하였다. 아버지의 몸이 들어앉은 그 관속의 빈 공간은 다양한 장신구가 자리했다. 어머니를 따라 천주교 세례를 받으신 까닭에 그 장신구는 천주교 풍으로 꾸며졌다. 내부장식이 다 마무리되자, 그 여성분은 상주인 나에게 '까만색 사인펜'을 쥐어주고 관에 커다랗게 아버지의 성함을 적어줄 것을 요청했다. 아마도 관이 바뀐다거나 하는 불상사를 막기 위함

일 것이라 생각했다.

나는 아버지의 머리 쪽으로 가서 그 나무로 만들어진 관에 아버지의 성함을 한 글자 한 글자 정성껏 적었다. 어릴 때 서예를 배운 덕에 나름 글씨를 잘 쓴다고 생각했었기 때문에 가급적 이쁜 글씨로 성함을 적어드리고 싶었다. 사뭇 묘한 느낌이 들었다.

내 역할을 끝으로 아버지가 뉘어져 있는 관은 끝내 닫혔다. 우리는 그렇게 아버지의 마지막을 본 뒤, 벌건 눈으로 안치실에서 나올 수밖에 없었다.

이틀째도 많은 조문객분들께서 찾아와 주셨다. 첫째 날과 마찬가지로 우리 가족의 지인, 동료를 비롯하여 다양한 관계를 맺은 분들께서 어려운 발걸음을 해주셨다. 둘째 날은 첫째 날과는 달리 친척분들의 방문이 많았다. 통상 삼일차 아침에 발인을 하기 때문에, 둘째 날에 방문하여 같이 밤을 보내고, 셋째 날 발인에 같이 참석하기 위한 경우가 많은 것 같았다.

이틀째 오후가 되자, 여전히 명확히 정하지 못한 '장지'(葬地) 때문에 더 걱정이 됐다. 당초 우리가 결정할 수 있는 대안은 두 가지였다. 종중에서 운영하는 'M납골당'과 아버지가 어릴 적 살던 동네 인척분들이 알음알음 힘을 보테 만드신 'G납골묘'가 그것이었다. 두 곳 모두 청주에 있었기 때문에, 사무실에서 장지를 말해달라고 했을 때, 나는 '청주'라고만 이야기했었는데 여전히 그 두 곳 중 어디로 할지는 정해지지 못한 상황이었다.

객실 귀퉁이에 친족분들이 둘러앉아 아버지의 유골을 어디로 모셔야 할지 회의를 개최했다. 두 곳은 나름의 장단점이 있었다. M납골당은 종중의 수십 기의 유골함을 안치할 수 있는 적절한 규모가 있는 곳이었고, 이미 할아버지, 할머니의 유골이 모셔져 있었기 때문에 아버지까지 모시고 나면 일종의 '가족 납골당'이 만들어지는 셈이었다. 때문에 향후 차례나 제사를 지낼 때 친척분들과 같이 방문하여 모실 수 있다는 점이 가장 큰 장점이었다. 하지만, M납골당을 방문하기 위해서는 별도의 열쇠가 필요했는데, 이 열쇠를 받기 위해서는 매번 운영진에게 연락을 하고 방문해야 한다는 수고스러움이 있었다.

반면에 아버지가 마지막에 원하셨던 G납골묘는 아버지의 동네 친구분들이 선산의 중턱에 만드신 일종의 '야외 가족묘'였는데, 당시 두 개의 가족묘를 만들어놓은 상태였다. 한 개의 가족묘는 이미 다 차있었고 한 개의 가족묘의 공간이 남아 있었다. 한 개의 가족묘에는 10개의 안치공간이 있었는데 1개의 안치공간에는 유골함 두기 정도가 들어갈 수 있는 공간이 있었기 때문에, 만약 부부를 모두 안치한다면 20기의 유골함을 넣을 수 있는 형태였다. 이곳은 M납골당과는 달리 외부에 있었기 때문에, 언제든 원하면 방문할 수 있는 장점이 있었지만, 할아버지, 할머니와 떨어져서 아버지를 홀로 모셔야 한다는 부담감이 있었고, 무엇보다 우리 가족 중에 아무도 그곳을 방문한 사람이 없었기 때문에 그곳의 상태를 담보할 수 없었다.

회의의 결론은 쉽게 내지 못했다. 아버지의 유지를 받들고 싶은 마음과, 할아버지, 할머니와 같이 모시고 싶은 마음이 그 결정을 계속 미루게 했다. 하지만 최종적인 결정은 우리 가족의 몫이었고 그중에서도 어머니의 의견이 가장 중요하다 생각했다. 어머니는 친척 분들의 그 다양한 의견을 들으시고 최종적으로 결정을 내리셨다.

"M납골당으로 하자."

비록 아버지가 마지막에 원하셨던 곳은 아니지만 아버지도 먼저 돌아가신 할아버지 할머니와 함께라면 어느 정도 이해할 것이라 생각했다. 우리 모두는 어머니의 최종적인 결정에 따르기로 하였다. 그렇게 최종적인 장지까지 결정이 되고 나니, 한결 마음이 놓였다.

아버지의 장례식 이틀 차는 일요일이었기 때문에, 조문객들도 다음날부터는 일상생활로의 복귀가 필요하였다. 점차 조문객의 방문이 뜸해지던 오후 8시쯤이 되자, 다시 현실적인 문제를 처리해야 할 상황에 놓였다.

나는 내일 발인에 앞서 장례식장에서 결재할 전체 금액을 사무실에 요청했다. 사무실로부터 받은 비용을 보니, 처음 예상했던 것과 같이 대략 '천만 원'이 넘는 금액이 적혀있었다.

현실적인 계산을 위해 어머니와 동생에게 잠시 가족회의를 요청했다. 부의금을 어떻게 나눌 것인지, 장례식 비용의 안분 비율은 어떻게 할 것인지에 대해 짧은 회의 끝에 결정하였다. 그간 우리 가족은 비교적 이와 같은 돈문제에 있어 불화가 없었는데, 후에 찾아보니 장례식 부의금으로 문제가 발생하는 경우도 종종 있다는 인터넷의 글들을 접할 수 있었다.

회의 이후에는 부의금의 총액을 개략적으로 계산하는 시간이 필요했다. 장례식장을 떠나고 나서 부의금을 가는 곳마다 일일이 들고 다닐 수 없었기 때문에, 각자의 부의금을 따로 분류하고 총액을 계산해서 은행에 별도로 예치해둘 필요가 있었기 때문이다. 제단 위에 놓여 있는 아버지의 영정사진을 보고, 내가 이야기했다.

"아빠. 죄송해요. 잠시 돈 좀 셀게요. 할 건 해야 되니까."

조문실의 문을 잠시간 닫아두고 '세속의 시간'으로 돌아왔다. 바닥에 부의봉투를 흩뿌려 부의의 출처를 구분 짓고, 부의봉투에서 현금을 꺼내고 봉투에는 별도의 금액을 적어 각자의 금액과 총액이 맞는지 확인하는 과정을 거쳤다. 인터넷 계좌로 들어온 부의금은 내가 차후에 정리해서 각자의 계좌로 이체하기로 하였다. 조문객만큼이나, 부의봉투도 제각각이었다. 하얀 봉투에 이름과 소속, 관계 등을 적으신 분들은 분류하기가 수월했는데, 이름만 떡하니 적으신 분들은 가족들에게 일일이 물어 관계를 확인해야 했다. 개 중에는 아무것도 적지 않으신 분들도 있었는데, 이런 분들은 참 난감했다. 어떠한 형태로든 추후 답례를 해야 할 터인데 이분들은 그 경로를 알기가 쉽지 않았다. 우리가 잘 모르는 분들이나, 출처가 불분명한 분들은 아마도 아버지의 지인분들이라 생각하고 어머니께 드렸다.

…

부의금을 정리하면서 묘한 감정이 들었다. 혹자는 '누군가는 했고', '누구는 안 했어'라는 마음이 들 수도 있다고 했는데, 그런 것은 전혀 없었다. 모든 분들에게 표현하기 힘들 정도로 감사했다. 평소에 잘 알던 친구나 지인뿐 아니라, 잘 모르는 분들까지도 적잖은 성의를 보내오신 것을 보면서, '내가 헛살지 않았구나.' 하는 생각과 '내가 헛살았구나.' 싶은 생각이 동시에 몰려왔다. 그래도 나와의 관계를 생각해 부의를 보내주신 분들을 생각하니 헛살지 않았구나 싶은 마음이 들었고, 만약 나라면 이렇게 신경 쓸 수 있었을까 싶은 마음에 내가 헛살았다는 생각이 겹쳐 일었다. 사실 전자보다 후자의 느낌이 더 크고 강렬했다. 그렇게 감사와 반성, 감성과 이성이 혼재된 채 장례식장에서의 두 번째 밤을 마무리했다.

#15. 발인과 화장

햇살이 가득한 그날의 날씨는 참 좋았다.

장례식장에서 맞는 3일 차 역시 새벽녘에 자리에서 일어나 조용한 장례식장을 이리저리 기웃댔다. 지하에서 탈출해 병원 1층으로 나가보니, 아침 날씨가 무척이나 좋은 듯했다. 하지만 아직 이른 시간이라 아무도 다니지 않는 병원 앞 거리가, 내 마음 같이 쓸쓸해 보였다.

아침 7시쯤 되니 가족들이 하나둘씩 자리에서 일어나기 시작했다. 어제와 같이 화장실에 들러 간단히 세안을 하고, 다시 머리를 빗어 넘겼다. 나 스스로에게 힘을 실어주는 일종의 예식과도 같았다.

장례 3일 차에는 아버지를 마지막으로 보내드리는 '발인'(發靷)의 시간이 필요했다. '발인'은 시신을 안치실에서부터 최종적인 장지까지 모셔가는 전반의 행위를 의미한다. 장례식장에서는 통상 병원 안치실에서부터 장례 리무진까지의 '운구'를 마무리하면, 발인으로서의 책임은 다 하는 셈이었다.

나는 일전에도 몇 번 '운구'를 해본 적이 있었다. 처음 운구를 해본 것은 사회 초년생이던 2005년 내가 입사했던 건설회사의 회장님이 돌아가셨을 때였다. 그 당시만 하더라도, 회사의 높은 분들이 돌아가시면 회사 직원을 동원하는 것이 일반적인 시대였다. 운구

조, 국화 조, 신발 조 등등으로 구분된 역할이 시간 단위로 주어져서 마치 군대의 이등병처럼 움직였었다. 지금으로선 그런 노동력 착취를 상상할 수 없지만, 당시 나는 그 건설회사에서 몇 번이나 장례식장의 일꾼이 되었던 기억이 있었다. 건설회사 회장님이야 나와 피 한 방울 섞이지 않은 분이었지만, 그럼에도 당시 유가족의 슬픔이 나에게도 오롯이 전달되는 느낌이었다. 그 뒤로 친구의 아버지, 친할머니에 이르기까지 나와 가까운 분들의 몇 차례 운구와 발인에 참석해 보았지만, 돌아가신 분을 모시는 것은 횟수를 거듭해도 전혀 익숙해지지 않았고, 오히려 그 심적 고통을 감내하기 위해서는 일종의 마음가짐이 필요하였다.

아버지의 발인을 위해 3일 차 아침부터 분주하게 움직였다. 아침 8시경에 전날까지 접객 후 남은 음식으로 우리 가족과 마지막까지 자리를 지켜주신 친척분들이 함께 조촐한 아침식사를 했다. 아침식사를 마치고도 한참이나 남은 음식을 어떻게 처리해야 할지 망설였는데, 어머니는 몇 가지 먹을 수 있는 반찬과 과일 등을 비닐봉지에 소분해서, 장례 리무진에 실을 것들과 본인이나 친척분들이 가져가실 수 있도록 정리했다.

뒤이어 장례식장에 지불해야 하는 그간의 비용을 결제하기 위해 나와 내 동생이 사무실로 향했다. 최종적인 비용을 다시 한번 확인하고, 앞으로 남은 비용(장례 리무진 비용 등)과 반납해야 할 물품(상복 등)을 확인한 뒤 결제를 마무리하였다. 장례식에서의 모든 행정적 절차를 완료하고 발인을 위해 다시 조문실로 돌아왔다.

잠시 뒤 9시쯤이 되자, 적잖이 연세가 있어 보이시는 얼굴을 가지신 아저씨 한분이 나에게 다가오셨다.

"상주... 님 되시죠?"

"네..."

"오늘 장례 리무진 기사입니다."

"아... 예. 오늘 잘 부탁드립니다."

예순에 가까워 보이셨던, 백발이 성성한 그 기사분은 모든 이야기를 조심스럽게 나에게 건네셨다. 상주에 대한 '최소한의 예의'를 지키려고 노력하시는 듯했다. 그 '친절한 기사분'은 향후 일정과, 시간, 본인이 받아야 할 금액 등을 우리와 간략하게 협의하셨다. 장례식 첫째 날에 우리는 화장터로 '수원시 연화장'을 선택했었고, 화장 시간을 오후 1시로 예약했었다. 오후 1시까지 수원시로 가기 위해서는 넉넉잡아 11시에는 발인 후 출발하면 됐지만, 우리를 담당했던 그 기사분께서는 혹시나 조금 일찍 도착하면 더 이른 시간대에 화장을 할 수 있을지도 모르니 일찍 떠나는 것이 어떻겠냐고 물어왔고, 우리 모두는 그 제안에 동의했다. 갑자기 시간이 당겨져, 오전 9시 30분경 발인을 해야 했다.

운구는 비교적 어려운 과정은 아니었다. 이곳 장례식은 비교적 약식으로 진행되는 것 같았고, 운구도 이와 유사했다. 운구를 위해서는 최소 4명의 남성이 필요했는데, 주로 상주의 친구들이 하는 것이 일반적인 것 같았다. 하지만, 나는 친구들에게 이런 불편함은 주고 싶지 않았기 때문에 별도로 연락을 하지 않았었고, 요즈음에는 운구 시 모자라는 인원에 대해서도 장례식장에서 별도로 조처를 해

주시는 모양이었다.

9시 30분이 되자, 어제의 '똑 부러지는 여성분'이 당직을 마치셨는지 다시 전날의 '착한 청년'으로 바뀌어 있었다. 착한 청년에게 운구를 위한 협조를 부탁하자, 그 청년은 흔쾌히 도와주겠노라고 이야기했다. 결국 그날의 운구는 착한 청년, 친절한 기사 아저씨와, 사촌 형, 고모부가 담당하게 되었다.

운구에 있어서 별도의 예법과 순서 등이 존재하는 모양이었지만, 나는 그런 건 자세히 몰랐고 그저 착한 청년과 친절한 기사분이 지시하는 데로 따를 뿐이었다. 다만 나에게 상주로써 아버지의 영정사진을 들어달라는 지시에 대해서는 그 역할을 동생에게 일임했다. 나 못지않게, 아니 오히려 나보다 더 마음 아파할 동생이 아버지의 마지막 가시는 길에 선두에 서는 게 좋을 것 같은 느낌이 들었기 때문이다.

이내 착한 청년이 들어와 이야기했다.

"발인을 시작하겠습니다."

발인이 시작되었다. 착한 청년의 지휘 하에, 동생은 조문실의 제단에 놓여있는 아버지의 영정사진을 들어 품에 안고 걸어 나와 장례식장에서 버스로 이어지는 긴 복도의 그 '시작점'에 섰다.

뒤 이어 나, 사촌 형, 고모부, 착한 청년과 친절한 기사분은 저마다 하얀 장갑을 하나씩 착용하고 장례식장 내 안치실로 향했다. 안치실에 들어가니 어제 보았던 그 관이 놓여 있었고, 관에서 약 2미터 앞에는 허리 높이의 바퀴 달린 은색 선반이 있었다. 착한 청년은 나에게 어제 내가 쓴 아버지의 성함을 확인시키는 것으로 시신이 바뀌지 않았음을 다시 한번 주지시켰다. 네 명의 운구 조가 관에 둘러져 있는 천으로 된 끈을 잡고 들어 올려 천천히 은색 선반까지 옮긴 뒤 내려놓았다. 나와 운구 조는 그 선반을 잡고 천천히 굴려 동생의 뒤에 자리했다. 그 뒤에 어머니를 비롯한 친척분들이 줄지어 서셨다.

행렬이 완성되자 우리는 그 긴 복도를 천천히 걷기 시작했다. 제일 앞에는 동생이 아버지의 영정사진을 들었고, 아버지의 관과 운구 조, 나와 어머니, 친척분들이 줄지어 긴 통로로 걸어 나가기 시작했다. 통로 제일 끝에는 거대한 검은색의 장례 리무진 버스가 보였다. 장례식장 복도는 우리 가족뿐 아니라, 다른 고인의 가족분들도 여럿 계셨는데, 모두 함께 그 분위기에 의도치 않게 합을 맞춰 주셨다. 우리가 그 긴 복도를 천천히 걷는 동안 마치 바닷물이 갈라지는 것처럼 양옆으로 도열하여 아버지의 마지막 가시는 길을 애도하는 것처럼 보였다.

복도의 끝인 장례 리무진 버스에 다다랐다. 장례 리무진 버스의 하단에는 관을 안치할 수 있는 공간이 별도로 마련되어있었다. 마치 커다란 짐을 넣듯이 우리는 그곳에 아버지의 관을 밀어 넣었고, 기사분께서는 이동 중 관이 움직이지 않도록 튼튼한 끈으로 관의 주변을 꽁꽁 동여매셨다.

그날의 일정을 같이 소화할 친인척 분들께서 하나둘씩 버스에 탑승하셨다. 장례 리무진은 28인승 우등버스였는데, 복도를 중간에 두고 1열과 2열로 나누어져 구성된 제법 괜찮은 버스였다. 제일 앞자리 두 칸에는 나와 아버지의 영정사진이 놓였다. 기사분께서는 아버지의 영정사진을 안전벨트로 꽁꽁 동여매셨다. 내 뒷자리에는 어머니와 이모가 앉았고, 그 옆 한자리에는 동생이 자리했다. 동생의 뒷자리에는 아내가 앉았다. 끝까지 동행해주신 고모와 고모부 등 친척분들은 저마다 편한 자리에 나누어 앉으셨다. 동승한 사람 수가 많지 않았기 때문에, 그 거대한 리무진 버스의 구석구석에 빈자리가 많이 있었다.

버스에 탑승해있으니, 갑자기 내가 앓고 있는 폐소 공포증 때문인지 갑갑함이 몰려왔다. 아버지는 이 큰 버스의 짐칸에서 외롭게 계시는데 나의 정신적 질환 따위는 이겨낼 수 있지 않을까 싶었다. 그래도 마음이 불안해지는 것을 이겨내기 위해 이어폰을 껴고 음악을 조용하게 틀어 내 주위를 분산시켰다.

장례 리무진이 천천히 움직여 병원을 빠져나갔다. 햇살이 차창을 통해 내부로 환하게 들어왔다. 날이 참 좋았다. 차창밖으로 우뚝 솟은 병원이 햇살을 받아 빛나고 있었다. 어머니는 차창밖으로 보이는 병원을 물끄러미 보시며 말씀하셨다.

"여기를 이렇게 나갈 줄은 몰랐는데..."

작년 6월, 아버지의 병환을 처음 알게 된 이후로 지겹도록 방문했던 이곳 B병원. 항상 아버지, 어머니 두 분이서 함께 바라보셨던 건물의 외관을, 이제는 장례 리무진을 타고 홀로 되어 바라보시는 어머니의 심정을 오롯이 이해할 수는 없었지만, 나도 모르게 눈물이 차오르는 것은 어쩔 도리가 없었다.

11시쯤이 되어 리무진 버스가 '수원시 연화장'에 도착했다. 자신의 차량으로 출발한 사촌 형과 큰 외삼촌, 작은 외삼촌 가족은 우리보다 먼저 그곳에 도착해 계셨다. 우리의 기사분께서는 장례 리무진을 연화장의 길옆에 주차하시고는 나에게 같이 연화장의 사무실로 가자고 하셨다. 차에서 내려 종종걸음으로 사무실로 가는 와중에 기사분께서 말씀하셨다.

"가서 예약시간을 당길 수 있는지 같이 이야기해볼게요."

"네..."

"아 그리고, 유골함은 여기 꺼 말고 저렴하게 하실 수 있는 데가 있으니까 거기랑 연결해 드릴게요."

"네..."

아마도 연화장에서 파는 유골함 말고 전문으로 하는 업체가 있는 듯했고, 기사분께서는 일정 소개 수수료를 받는 게 아닐까 하는 생각이 잠시 들었다.

사무실에 도착하여 예약정보를 밝히고, 사망진단서 제출 및 화장 비용을 결제하였다. 수원시 연화장의 경우 관내는 10만 원, 관외는 100만 원으로 열 배나 비용 차이가 났었지만, 이 역시 따질 수 있는 상황이 아니었다. 기사분은 우리가 예약은 1시에 했었지만, 혹시 더 이른 시간대는 없는지 여쭈어보셨지만, 담당자는 그 앞 시간대가 모두 다 차있다는 말로 일거에 우리의 부탁을 '무력화'시켰다.

어쩔 수 없이 기다림의 시간이 우리에게 또 부여되었다. 그 잠시간의 시간 동안 소개받은 유골함 업체의 여성분을 만나 브로슈어 하나를 건네받았다. 원하는 모델을 선택해서 모델번호를 문자로 전송해주면 된다고 전하고는 그 여성분은 또 다른 '고객'을 만나기 위해 사라졌다.

브로슈어를 들고 어머니, 동생과 함께 하나씩 살펴보았다. 유골함의 가격은 천차만별이었는데 몇십만 원에서 백만 원이 넘는 것까지 다양했다. 몇 개의 후보군 중에 우리가 선택한 유골함은 다른 유골함에 비해 크기가 다소 컸고 진공처리가 가능한 유골함이었다. 마치 과자를 포장하듯 질소를 투입하여 진공처리가 가능한 제품이라는 소개가 있었고 그에 따라 가격도 '백만 원'으로 책정되어있었다. 어차피 납골당에 보관할 생각이었기 때문에 진공처리가 필요한가 싶기도 하였지만, 어머니께서는 다른 유골함에 비해 가급적 이뻐 보이는 유골함에 눈길을 두셨고, 다른 장례비용과 마찬가지로 아버지가 떠나는 자리에서 비용을 따지고 싶진 않았다. 유골함 판매업자에게 브로슈어에 나와있는 유골함 번호를 문자로 일러주자 담당자는 친히 '30% 할인'된 파격가로 모시겠다면서, 본인의 계좌로 금액을 이체할 것을 문자로 알려왔다.

유골함이 정해지자, 유골함의 겉면에 새길 아버지의 성함, 세례명, 태어난 날짜와 돌아가신 날짜를 유골함 판매업자에게 문자로 보내야 했다. 아버지의 생신은 음력으로 5월 22일이었는데, 우리는 아버지의 돌아가신 날짜를 어떻게 정할지에 대해 또 간략한 회의를 개최했다.

아버지가 돌아가신 날짜는 양력으로는 5월 7일로 어버이날의 전날이었고, 음력으로는 4월 7일로 석가탄신일의 전날이었다. 우리는 아버지의 기일을 음력 4월 7일로 정했다. 무엇보다 아버지가 음력 생신을 보내셨기 때문에 돌아가신 날짜도 음력으로 맞추는 것이 보기 좋을 것 같았고, 아버지의 기일 다음날이 공휴일이었기 때문에 우리 가족이 다 함께 모이는데도 도움이 될 것 같았다. (후에 알고 보니, 제사는 돌아가신 전날 지내는 것이 일반적이라고 하니, 우리가 정한 기일대로라면, 음력 4월 6일 저녁에 제사를 지내야 했다.)

남는 시간 동안에는 연화장 내에 있는 식당에서 간단히 점심식사를 해결했다. 마지막까지 같이 자리해 주시는 많은 분들에게 좋은 식사를 대접하고 싶었지만, 그곳의 메뉴도 며칠째 장례식장에서 먹었던 갈비탕, 육개장과 같았기 때문에 어쩔 수 없이 그 익숙한 음식을 다시 먹어야 했다.

식사를 마치고 12시 30분쯤 되니, 어느덧 우리 차례가 다가오고 있었다. 우리의 장례 리무진 버스가 승화원 건물의 입구에 자리했다. 다시금 동생이 아버지의 영정사진을 들고 제일 앞에 섰고, 그 뒤를 가족과 친척분들이 줄지어 섰다. 이번에는 사촌 형, 고모부, 큰 이모부, 작은 이모부까지 우리 식구만으로도 운구가 가능한 사람 수가 갖춰졌다.

잠시 뒤, 승하원 안쪽 통로에서 남성, 여성 직원 두 분이 장례식장에서 운구할 때 보았던 굴러가는 선반과 비슷한 선반을 가지고 나타나셨다. 그중 남성분은 아버지의 성함이 프린트된 종이를 한 손에 들고 나타나셨기 때문에 우리는 우리의 순번이 되었음을 알 수 있었다. 기사분께서 아버지의 관이 들어있던 리무진 버스의 하단 문을 개방하셨고, 운구 조는 아버지의 관을 천천히 들어 다시 그 선반에 올려두었다.

나는 우리 가족 모두가 그 선반을 밀고 같이 통로로 들어가는 줄 알았었는데, 사실은 그렇지 못했다. 여성 직원은 우리에게 이야기했다.

"여기는 같이 못 가세요. 가족분들은 대기실로 가시면 됩니다."

거기서 헤어져야 했다. 나는 아버지의 관에 가만히 손을 얹고 나지막이 작별의 인사를 건넸다.

"갈게요..."

아버지의 관은 그대로 건물의 긴 복도로 사라졌고, 우리 식구는 건물을 빙 돌아 우리에게 배정된 가족 대기실로 향했다.

세평 남짓되는 가족 대기실은 고인이 화장을 진행하는 동안 신발을 벗고 편하게 앉을 수 있도록 마련된 공간이었다. 가족 대기실 정면에는 커다란 유리가 블라인드로 가려져 있었다. 그 커다란 유리창 위에는 20인치쯤 되는 모니터가 매달려 있었고, 그 아래로는 작은 제단이 놓여 있었다. 동생은 그 작은 제단에 아버지의 영정사진을 올려놓았다. 우리 가족과 친척분들을 포함해 대략 10여 명의 인원이 그 대기실 안으로 들어가서 모두 잠시간 서 있었다. 나는 그 대기실의 중앙에 가만히 서서 마음을 추슬렀다.

잠시 뒤, 유리창의 블라인드가 천천히 걷히자 방금 전 우리가 내려놓았던 아버지의 관이 유리 너머에 다시 모습을 드러냈다. 눈앞에 아버지의 관이 다시 나타나자 마치 오랜 시간 못 봤던 무언가를 본 것처럼 다시 심장박동이 빨라지는 듯했다. 방금 전의 그 두 명의 직원분도 아버지의 관 옆에 서 있었다. 유리창 너머의 여성분은 마이크를 들고 우리에게 이야기했다.

"화장 전에 마지막으로 고인께 인사를 드리는 시간을 갖도록 하겠습니다. 일동. 묵념!!!"

여성분의 '묵념!!!'이라는 지휘가 객실에 달린 스피커를 통해 흘러 나왔다. 그 지휘에 따라 나는 고개를 숙였으나, 평안한 묵념이 제대로 될 턱이 없었다. 하지만 마음속으로 그동안 수 없이 했던 말을 다시금 되뇌었다.

'아빠. 편히 쉬세요.'

잠시간의 묵념 뒤에 여성 직원은 마이크를 통해 다시 이야기했다.

"그럼 이제 화장을 시작하겠습니다."

여성분의 마지막 멘트와 함께 유리창의 블라인드가 닫혔다. 아무것도 볼 수 없어 답답함이 몰려왔던 그 순간, 유리창 위에 달려있던 모니터에서 마치 CCTV처럼 아버지의 관이 다시 나타났다. 남성 직원은 아버지의 관을 밀고 가더니 화로에 천천에 밀어 넣고 화로의 문을 닫았다. 우리 모두는 마치 한 편의 영화를 보듯이 숨죽여 그 모니터를 뚫어지게 응시하고 있었다. 그대로 몇 초간 모니터는 닫혀있는 화로의 문을 찍어 보내 주었다. 그렇게 시간이 멈출 것 같았던 그때, 갑자기 모니터가 파랗게 변하더니 빨간색 글씨가 들어왔다.

'화장 중'

이제는 이 세상 어디에서도 아버지의 육신을 확인할 길이 없었다. '우리 가족이 화장을 택한 게 잘한 일일까?' 싶은 마음이 처음 들었던 순간이었다. 갑자기 또 눈물이 눈밖으로 밀고 올라왔다. 나뿐 아니라 그 대기실에 있던 모두가 다시 큰 소리를 내며 울기 시작했다. 어머니는 자리에 주저앉아 눈물을 훔치셨다. 나는 눈물을 흘리면서 어머니 옆으로 가서 어머니의 어깨에 손을 올리고 같이 그 슬픔을 공유했다. 나는 주변에서 같이 눈물을 흘리고 있던 동생과 아내를 어머니 주변으로 불러 모으고 이야기했다.

"잘 살자... 우리가 잘 살아야 돼."

화장은 한참 동안 지속되었다. 우리는 그 시간 동안 다시 안정을 찾았다. 기다리시는 친척분들에게 음료도 한잔씩 대접해드리고, 서로 간간히 아버지에 대한 이야기도 주고받으면서 그 슬픔을 중화해 보려 애썼다. 그 시간 동안 잠시 전 결제했던 그 예쁜 유골함도 도착했다. 아버지의 성함과 천주교 세례명. 태어나신 날과 돌아가신 날이 예쁘게 각인되어 도착했다.

1시간 30분쯤이 지나서야 '화장 중'이라는 빨간 글씨는 '수골 중'이라는 글씨로 변경되었다.

갑자기 모니터의 글씨가 변경되자, 모두의 마음가짐도 다시 가라앉는 게 보였다. 잠시 뒤에 또 다른 남성 직원이 나타나서 우리에게 이야기했다.

"수골실로 이동하겠습니다."

그 남성분을 따라 우리 가족 모두는 수골실로 천천히 이동했다. 우리는 좁은 입구를 통과해 수골실 입구에 다다랐다. 수골실 입구의 한쪽 면은 큰 유리로 되어 있어서 수골실 내부를 훤히 들여다볼 수 있었다. 수골실 내부는 꽤 컸는데, 몇 기의 화로 앞에서 많은 직원들이 바쁘게 움직이고 있었다. 수골실 유리 너머로 아버지의 육신을 화장했던 '#번 화로'와 아버지의 화장을 담당했던 직원(1)이 저 멀리 보였다. 그 직원은 화로에서 아버지의 유골을 꺼내어 네모난 철제 상자에 담아내고 있었다. 우리를 안내했던 직원(2)이 내게 말했다.

"유골함을 주시겠어요?"

나는 내가 들고 온 유골함을 그 직원에게 건넸고, 그 직원은 유골함을 들고 수골실 안으로 들어가서 유리 너머에 있던 또 다른 직원(3)에게 유골함을 건넸다. 잠시 뒤 화장을 담당했던 직원(1)은 아버지의 유골을 다 수습했는지 철제 상자를 끌고 우리 앞 2m까지 오더니 그 상자 안의 유골을 정체를 알 수 없는 기계에 집어넣었다. 그 기계는 아마도 유골을 분쇄하는 기계인 듯했다. 그렇게 기계를 거친 유골은 우리 앞에 아이보리색 가루가 되어 떨어져 내렸다. 이제는 가루밖에 남지 않은 아버지의 유골이, 마치 밀가루를 하늘에서 떨어뜨리듯이 대기 중으로 흩날리고 있었다.

우리 앞의 또 다른 직원(3)은 너무나도 능숙한 손놀림으로 내가 건넨 유골함의 뚜껑을 열고, 유골함의 주둥이에 철제로 만들어진 '깔때기'를 끼웠다. 그리고는 그 아이보리색의 가루를 별도로 제작한 것 같은 '빗자루'와 '쓰레받기'로 쓸어 담아 그 깔때기에 들이부었다. 일체화된 손놀림, 깔때기, 빗자루, 쓰레받기. 그 모습은 다년간, 수많은 유골가루를 담아왔음을 반증하는 가히 '장인의 손놀림'과 '도구들'이었지만, 그럴수록 고인에 대한 어떠한 감정도 느낄 수가 없는 단순한 행위 그 자체였기 때문에 내 마음이 더 아려왔다.

'아... 이렇게 밖에 안 되는 건가...'

화장을 진행하면서 계속 짓눌려왔던 마음이 더 아프게 느껴졌다. 눈물이 다시금 새어 나왔다. 채 10초도 걸리지 않는 시간 동안 그 아이보리색의 가루를 유골함에 넣은 직원은 유골함에 같이 들어있던 노란색 보자기로 마치 선물을 포장하듯 두 번에 걸쳐 매듭을 지어 우리에게 다시 건넸다.

나는 유골함 보자기를 조심 스레 받아 들고 혹여나 떨어트릴까 그 천을 더 꼭 잡고 가슴에 부여 안았다. 내 가슴과 팔에 따스함이 전해졌다. 아마도 화장 시 발생하는 고열로 인한 것이겠지만, 그 따듯함이 마치 아버지의 온기라는 생각이 들어서 울컥함을 참을 수 없었다. 4명이 힘을 합쳐야 겨우 들 수 있었던 아버지의 육신이, 이제는 한 줌 재가 되어 내 가슴 앞에서 따듯하게 숨을 쉬고 있는 것 같았다.

우리는 그렇게 눈물을 훔치며 수골실을 빠져나왔다. 수골실을 나오자 내 옆에 붙어있던 기사분은 나에게 조용히 이야기했다.

"상주님은 잠시 따라오시고요. 나머지 가족분들은 차에 다시 탑승하시면 될 것 같습니다."

나는 아버지의 유골함을 가슴에 꼭 안고, 기사분이 안내하는 곳으로 천천히 걸어갔다. 기사분은 나를 승하원의 대기실 구석으로 데리고 갔는데, 거기에는 몇 시간 전에 나에게 유골함을 판매했던 여성분이 알 수 없는 조형물을 의자 삼아 앉아계셨다. 나를 확인하신 그 여성분은 내게 유골함을 건네 달라고 하면서 이야기했다.

"이제 질소처리를 할 겁니다. 승하원 자체적으로는 질소처리가 안 되기 때문에 여기서 따로 해드리는 겁니다."

내가 그 여성분에게 아버지의 유골함을 건네면서도 그 유골함을 내 품에서 떠나보내는 게 무언가 죄스러웠다. 내게 유골함을 건네받은 그 여성분은 유골함을 본인의 옆에 내려놓고는 아무런 망설임

없이 유골함의 뚜껑을 돌려 열었다. 방금 전에 보았던 아이보리색 가루가 다시 눈에 들어왔다. 뚜껑 주변에 있던 가루의 일부는 다시 하늘로 날아올랐다. '아...'. 내 마음이 다시 꿈틀댔다. 비록 정말 미세한 양의 유골이었지만, 아버지의 일부가 다시 없어지는 느낌이었다. 하지만 그 여성분은 이미 수 없는 유골함을 다룬 '또 다른 장인'처럼 거침이 없었다. 뚜껑을 제거한 뒤, 따로 마련된 플라스틱 뚜껑을 유골함 내부로 밀어 넣고는 알 수 없는 기계를 꺼낸 뒤 내게 다시 이야기했다.

"이제 질소가스를 넣겠습니다."

그 기계에 연결된 호스를 플라스틱 뚜껑에 달려있던 구멍에 연결하고는 기계를 작동하자, '쉬익-'하고 바람소리가 들려왔다. 약 5초간 진행된 그 질소처리가 다 끝나자. 그 여성분은 다시 도자기로 된 뚜껑을 꽉 돌려 닫았다. 곧이어 유골함을 다시 노란색 보자기로 포장한 뒤, 목에 걸 수 있도록 제작된 별도의 천으로 2차 포장하여 내게 들려주었다. 나는 그 천을 목에 둘러매고 두 손으로 유골함을 다시 안아 들었다. 여전히 유골함은 따듯한 온기를 내게 보내왔다. 나는 그 따듯함에 대꾸하듯 벌게진 눈으로 조용히 말했다.

...

"아빠... 죄송해요. 이렇게 밖에 못 해서..."

#16. 환영받지 못한 귀향(歸鄕)

장례 리무진 버스가 다시 출발했다.

수원시 연화장에서 화장을 마친 뒤, 우리를 태운 장례 리무진 버스는 아버지의 고향인 충청북도 청주의 M납골당으로 출발했다. 내 옆자리에는 아버지의 영정사진과 유골함이 안전벨트로 꽁꽁 동여매어졌다. 나는 옆자리의 유골함이 혹여나 엎어지지는 않을까 우려스러워 청주로 가는 내내 한 손을 뻗어 유골함을 꽉 잡은 채로 이동했다.

아버지의 고향인 충청북도 청주 모처에는 우리 가문의 이른바 '집성촌'(集姓村)이 있었다. 마을에 사는 사람들의 대부분이 우리와 같은 성씨를 쓰시는 분들이셨다. 우리 가문은 윗분들이 소위 '양반 가문'이라 칭하면서 항렬에 맞는 '돌림자'를 썼었는데, 나를 중심으로 윗대는 'W'자를 나와 같은 항렬은 'K'자를, 아랫대는 'H'자를 이름에 번갈아가며 썼다. 'W-K-H'자로 이어지는 이 계보가 있었기 때문에, 이름을 들어보면 대략적인 항렬을 유추할 수 있었다. 집성촌에 계시는 많은 분들이 이 원칙에서 벗어나지 않고 계셨어서, 거슬러 올라가 보면 먼 친척임을 짐작할 수 있었지만, 이미 몇 대에 걸쳐 몇 십촌으로 방대하게 이어져 내려온 이후였기 때문에, 현실적으로는 남남이라고 보는 게 더 적합할 것 같았다.

M납골당으로 출발하기 전에 납골당을 관리하시는 총무분의 전화번호를 사촌 형에게 받았다. 성함에 'K'자를 쓰시는 분이셨기 때문에 나와 같은 항렬이셨지만, 한 번도 뵌 적 없는 분이었다. 아마 이 분도 몇 십촌쯤 되는 분이리라 생각했다. 전날 사촌 형이 미리 전화통화를 해서 오늘 납골당으로 가는 사실은 알려두었다고 했지만, 아버지의 유골함이 도착하기 전에 안치 위치, 비용 등 처리해야 하는 다양한 사항에 대해 논의할 것이 있어 전화를 걸었다. 몇 번의 신호음이 가도 상대방은 전화를 받지 않았다. 이후 몇 번의 전화를 더 걸어도 끝내 전화 통화를 할 수는 없었다. 무언가 불안함이 엄습했지만, 사촌 형이 전날 미리 연락을 해 두었으니 큰 문제는 없을 것이라 생각했다.

수원시 연화장에서 출발한 지 한 시간쯤이 되자, 여느 시골길과 같은 한적하고, 협소한 길이 나타나기 시작했다. 버스 기사분은 그 큰 버스가 갈 수 있는 최대한의 장소까지 우리를 데려다주시기 위해 애쓰셨다. 4시 30분쯤이 되어 우리가 장지로 정했던 M납골당의 근처에 도착했다. 그 큰 버스로는 더 이상 갈 수가 없어 버스 기사분께서는 차를 갓길에 정차하셨고, 우리 모두는 그 길에서부터 천천히 걸어 올라가야 했다.

모두들 차에서 내려 행렬을 만든 뒤 그 길을 오르기 시작했다. 아버지의 영정사진을 든 동생이 행렬의 가장 앞에 앞장섰다. 내가 아버지의 유골함을 안아 들고 그 뒤를 따랐다. 그때까지 동행했던 많은 친인척분들은 우리 남매를 따라 천천히 같이 이동했다. 오후 시간이었지만, 여전히 햇살이 참 좋았다.

우리가 걸었던 길은 차 한 대가 겨우 지나갈 수 있는 좁고 경사가 얕은 오르막길이었다. 길 옆으로 파아란 들풀과 군데군데 사람 키만 한 나무들이 뻗어있는 전형적인 시골길이었다. 이미 M납골당에 할아버지, 할머니의 유골을 모셨었기 때문에, 구정이나, 추석에 종종 들었던 장소여서 길이 낯설지는 않았다. 하지만, 그 길을 항상 승용차로 올랐기 때문에 걸어 올라가는 것은 처음이었다. 화창한 날씨와 그렇지 못한 내 심정이 뒤엉켜 몽롱한 기분으로 그 길을 걸었다.

10여분쯤 그 길을 걸어 올라가니, 더 가팔라지는 언덕 위로 M납골당의 모습이 눈에 들어왔다. 납골당의 담장은 이미 누군가가 개방해 놓은 상태였고, 저 멀리 납골당 앞에는 어림잡아 20여 명에 가까운 사람들이 모여있었다. 생각보다 많은 사람들이 모여 서성이고 있는 모습을 보자 다시 마음이 울컥했다.

'아버지 가시는 길에 배웅 나온 사람이 저리 많구나. 여기가 고향이긴 한가보다...'

동생과 내가 천천히 그 무리에 다가갔다. 내가 알아볼 수 있는 큰아버지, 고모분들, 사촌형제들과 아버지의 몇몇 친구분들이 눈에 띄었다. 그들은 통곡을 하며 내게 다가왔다. 나도 더 이상은 울음을 참기 어려웠다. 그들의 통곡소리에 맞추어 나와 가족들도 함께 눈물을 흘리는 시간이 잠시 이어졌다.

같이 애도해 주시는 많은 분들께 감사했지만, 치러야 할 절차는 치러야 했다. 나와 동생은 납골당 안으로 들어가 중앙에 있는 성인 가슴높이의 제단에 아버지의 유골함과 영정사진을 올려두었다. 많은 친구분들께서는 아버지의 영정사진과 유골함 앞에 오셔서 그 슬픔을 표현하셨다. 이후 납골당에서의 절차는 사실 간단했다. 일단은 그곳에 참석하신 분들과 간략한 '제'(祭)를 드린 후에 아버지의 유골함을 안치하면 될 일이었다. 다만, 유골함을 안치하는 것도 항렬과 순서에 맞추어 진행해야 하기 때문에, 납골당 관리자와의 논의가 필요했다.

나는 다시 납골당의 총무분께 전화를 드렸다. 하지만 여전히 통화는 연결되지 않았다. 답답함이 몰려왔다. 이 납골당에서 담당자도 없이 우리 마음대로 무언가를 진행해도 되는지 알 수가 없었다. 그곳에 몰려있던 많은 분들은 그 총무분을 아시는지 저마다 연락을 해보았지만, 말 그대로 '연락두절'이었다. 사촌 형도 그 상황이 무척이나 답답했던지 내게 다가와 이야기했다.

"어제 통화할 때 보니까, 술을 많이 드시고 있는 거 같더라고... 그래서 아마 정신을 못 차리는 게 아닐까 싶은데..."

하.. 이게 무슨... 아무리 술을 많이 먹었어도 그렇지, 오후 4시가 넘어서도 연락조차 할 수 없다는 현실에 내 인내심이 점점 한계에 다가갔다. 무턱대고 기다릴 수는 없어서 일단은 할아버지, 할머니를 모셨던 자리 하단의 납골함의 유리문을 열어보려고 했다. 그곳의 납골함은 대략 10층으로 구성되어 있었는데, 할아버지 할머니의 납골함은 그중 대략 5층 정도에 자리하고 있었다. 우리는 그 밑인 4층을 열어보려고 시도했다. 하지만 그 납골함은 열리지 않았다. 납골함이 잠겨있어서 열리지 않는다기 보다는 납골함의 유격이 미세하게 어그러져 있어서 유리문이 열리지 않는다고 보는 것이 더 정확했다. 다른 층도 마찬가지였다. 나는 무척 당혹스러웠다.

먼길을 돌아 아버지의 고향 청주에서 종중이 운영하는 납골당에 방문했는데, 이곳에서 환영받지 못하는 느낌이었다. 아니면 아버지가 '이곳에 있기 싫다'라고 버티고 계시는지도 모르겠다는 생각이 들었다. 다시 총무에게 전화를 걸었으나, 여전히 연락이 되지 않았다. 모두들 어찌할 바를 모르는 상황이 몇십 분간 이어졌다. 납골당에 도착한 뒤 30분쯤이 지나 다시 전화를 걸었다. 몇 번의 통화음이 울린 뒤였다.

"여보세요."

알 수 없는 목소리의 주인공이 드디어 전화를 받았다.

"여보세요! XXX 씨 맞으세요? 전화를 몇 통을 했는데 안 받고 그래요!!!"

내가 신경질적으로 소리쳤다.

"뭔 소리예요... 나 지금 여기 와 있는데..."

이건 또 무슨 소린가? 나는 납골당 내부를 돌아 그 소리의 주인공을 찾아냈다. 50이 훌쩍 넘어 보이는 그분은 모자를 삐딱하게 쓰고, 통통하게 나온 배를 내밀고서 나에게 걸려온 전화를 받고 있었다. 알고 보니, 그분은 우리가 도착한 뒤 20여 분 뒤에 조용히 납골당에 들어와서 본인의 신분을 밝히지 않고 우리가 난처해하는 모습을 여러 무리에 섞여 그저 가만히 바라보고 있었다. 그분을 아는 주변의 분들은 내게 '이 사람이 그 사람이다.'라고 말해줄 필요성을 못 느꼈던 것 같았고, 우리는 처음 보는 그 사람이 그 총무인지 몰랐었다.

그 사람의 얼굴을 보자 장례식 기간 동안 참아왔던 설움과 비통함이 일종의 '분노'가 되어 튀어나왔다. 나는 누가 봐도 화난 얼굴로 그 사람의 얼굴 앞까지 성큼성큼 다가가 소리쳤다.

"지금이게 뭐 하는 거예요!!! 전화를 얼마나 했는데!!!"

기세 좋게 달려오는 나를 보고 짐짓 놀란 그분은 한참 어려 보이는 나에게 우물쭈물하며 대꾸했다.

"아까 와서... 보고 있었어요..."

화가 머리끝에 있다는 느낌이 이런 거였다. 당장에라도 사고를 칠 것 같은 느낌을 애써 억눌렀지만, 벌게진 얼굴은 어쩔 수 없었다. 하지만, 일단은 이 문제를 해결해야 했다.

"그래서!!! 납골함 안 열리는 거. 이거!!! 어떻게 할 거예요!!!"

내용은 질문이었지만, 난 여전히 계속 소리를 지르고 있었다.

"뭐... 어째요... 이거 기둥이 삐뚤어져서 안 열리는 거예요."

"뭐... 뭐요? 기둥이? 그럼 앞으로 어떻게 하실 건데요? 정비를 하던가! 뭐를 하던가 해야 될 거 아닙니까!!!"

"정비는 무슨... 돈도 없고 어쩔 수 없어요... 못하죠 뭐..."

소리치는 내 앞에 퉁명스럽게 받아치는 그 모습을 보고 있으니 말문이 턱 막히는 느낌이었다. 벽에 대고 소리쳐도 이거보단 낫겠다 싶었다.

"하!... 이게 무슨..."

갑자기 실소가 터져 나왔다. 관리자분의 너무 뻔뻔한 태도에 할 말을 잃은 느낌이었다. 나는 벌게진 얼굴로 금방이라도 무슨 사고를 칠 사람처럼 허리춤에 손을 얹고 납골당 내부를 미친 사람처럼 움직여댔다. 나의 그런 모습이 못 마땅했는지, 아버지의 친구로 보이는 남성분이 내게 다가오며 이야기하셨다.

"아! 이 사람아. 그래도 이렇게 성질부린다고 해결될게 아니지. 일단 아버지를 '잘' 모시고.."

그 '잘'이라는 단어가 내 성질을 더 돋웠다. 나는 그분의 말을 잘라먹고 이야기했다.

"잘?, 이게 어딜 봐서 잘 모시는 거예요!!! 이게 잘이 아니잖아! 잘이!"

내가 버럭 소리를 지르자 그분도 뒷걸음질을 치셨다. 나는 이미 이 구역의 '망나니'가 되어 있었다. 급기야 친척분들이 나섰다. 모두 나에게 오셔서 참으라며, 일단 절은 올려야 하지 않겠냐며 이야기했다. 사촌 형도 내게 와서 어깨를 토닥이며 이야기했다.

"괜찮아. 화내지 마. 일단 참아 봐."

너무 애통했다. 아버지를 잘 모시고 싶었는데, 내가 원했던 게 그리 대단한 게 아니었음에도, 눈앞에 벌어지고 있는 현실에 분노와 애통함이 뒤 섞인 감정을 억누르기 힘들었다. 나는 그 상태로 몇 분을 더 납골당 내부를 서성였다.

내 상태가 다소 진정되자, 일단은 제를 지내기로 하였다. 아버지의 영정사진과 유골함이 놓인 제단 옆으로 큰 어머니께서 준비해주신 간단한 제사음식들이 놓였다. 바닥에는 돗자리가 깔렸다.

상주인 내가 먼저 절을 해야 했다. 아버지가 돌아가시고 나서 처음 올리는 절. 올리고 싶지 않았던 절. 더더군다나 이런 상황에서 올리는 절이 못내 죄송한 마음을 가진 채 나는 천천히 제단으로 다가가서 술잔을 따르고 일 배를 올렸다. 머리를 땅에 대는 순간 울음이 터져 나왔다. 몇 초간 상체를 일으킬 수 없었다. 천천히 상체를 일으키고 다시 이배를 올렸다. 눈물을 하염없이 흘리며, 내가 마음속으로 이야기했다.

'죄송해요... 잘 모셨어야 하는데...'

내가 다시 일어섰다. 뒤이어 동생이 아버지에게 절을 올리러 다가왔다. 그때 아버지의 친구분으로 보이시는 다른 분이 다가와 이야기하셨다.

"일일이 다하면 시간 없으니까, 나머지 가족은 다 같이 해."

여전히 울컥한 내가 그 친구분을 제지했다.

"그래도 딸인데, 여기까지는 하는 걸로 두시죠. 저희가 알아서 할게요."

그분은 머쓱했는지, 다시 자리로 돌아갔다. 그 뒤로, 아버지의 형제자매 분들, 조카분들이 몇 번의 순서를 거쳐 절을 드렸다.

제사를 다 마무리하자 아버지의 친구분으로 보이는 몇몇 분이 내게 다가오셨다. 그중 방금 전에 내게 큰소리를 들으셨던 분이 손을 내밀어 악수를 청했다.

"나 모르지? 내가 비록 'H'자 돌림이긴 한데... 그래도 명색이 아빠 친구여. 국민학교도 같이 다니고 그랬어어. 여기 계신 분들 다 아빠 친구분들에 어르신인데 상주가 그래도 진정해야지이."

그분은 내게 충청도 사투리로 격려인지 꾸지람인지 모를 알 수 없는 목적의 이야기를 하셨다. 그 뒤로 몇몇 분들도 자신의 항렬과 아버지의 관계에 대해 이야기하셨다. 모두들 아버지뻘의 어르신이셨지만 대부분 K자와 H자가 많았으니 항렬로는 꿇릴 게 없었다. 나는 여전히 가라앉지 않은 분노를 잠시 억누르고 표면적으로나마 그분들께 죄송하다고 말씀을 드렸다.

그렇게 제사를 다 마친 뒤에도 납골함의 유리문은 열리지 않았다. 이제는 그 납골함이 열린다 하더라도 이곳에 있고 싶은 마음이 없어졌다. 나는 어머니께 다가가 이야기했다.

"옮깁시다!!! 여긴 안될 거 같아. 'G납골묘'로 가요."

당초 아버지께서 원하셨던 그곳, 'G납골묘'. 그곳도 여기서 멀지 않았다. 차로 20여분이면 도착할 거리였다. 당초 결정과는 다르게 진행되는 모양새였지만 이곳은 아무래도 아닌 것 같았다. 어머니는 한참 동안 쉽게 결정을 내리지 못하시다가 계속 종용하는 내 성화를 못 이기시고 G납골묘로 이동하는 것에 동의하셨다. 결국 아버지가 원하셨던 곳으로 결정되어버린 이 상황을 우리 모두는 오히려 '전화위복'의 기회라 생각했다.

"아빠가 G납골묘에 가시려고 이곳에서 훼방을 놓으셨나 봐요."

새로운 장지로의 이동이 결정되자, 다시 빠르게 움직여야 했다. 사촌 형에게는 G납골묘의 담당자분께 연락을 부탁드렸다. G납골묘의 담당자 역시 K자를 쓰시는 나와 같은 항렬의 6촌 형님이셨다. 갑자기 계획을 변경한 우리를 그 형님께서 못 마땅하실 수도 있으셨을 것 같았지만, 그 형님은 우리에게 선뜻 자리를 내어 주시겠다고 이야기하셨다. 나는 기사분께 전화를 드려 현재의 사정을 말씀드리고 죄송하지만, 한 번 더 이동을 해야 할 것 같다고 말씀드렸다. 기사분께서도 추가적인 일을 해야 하는 불편한 심정이셨겠지만,

우리의 상황을 이해해 주시려고 하셨다. 나는 제단 위에 놓인 아버지의 유골함을 다시 포장했고 동생은 아버지의 영정사진을 다시 안아 들었다. 여전히 따듯한 아버지의 유골함에 대고 내가 속삭였다.

"죄송해요. 더 좋은 곳으로 가려고 하는 거니까, 이해해 주세요..."

이곳에 왔던 순서의 역순으로 우리는 그곳을 떠나 다시 장례 리무진 버스로 향했다. 마음이 참담했다. M납골당에서 대기하셨던 다른 식구들까지 다 함께 장례 리무진 버스에 탑승하고 나니 처음 내려왔을 때 보다 더 많은 식구들이 함께 자리하게 되었다. 기사분께는 거듭 죄송하다는 말씀을 드리고, 새롭게 변경된 G납골묘의 주소를 찍어드렸다. 그렇게 우리는 오후 5시 30분이 되어 다시 두 번째 장지로 출발했다.

...

[1]

돌이켜 생각해보면 그 당시의 나는 아버지를 잃은 슬픔과 며칠간 이어진 장례로 이미 폭탄을 가득 안고 있는 상태였었다. 다만 아무도 그 스위치를 누르고 싶어 하지 않았던 것이라 생각했고, 그 납골당 총무분의 상식적이지 못한 대처가 그 스위치로 큰 몫을 했다고 생각했다. 하지만 그 폭탄이 누군가 작동시키는 것이 아니라 애초부터 언젠간 터질 '시한폭탄'이었는지도 모르겠다. 어차피 터질 것, 내가 터트리기 위해 좋은 구실을 만드려고 했었던 것 같다. 시간이 조금 지나고 난 뒤 스스로에게 반성했다. 하지만, '또' 그런 일이 생기면 '다시' 그럴지도 모르겠다.

[2]

후에 알고 보니 그 종중에서 운영하는 M납골당은 수익사업이 아닌 까닭에 운영에 있어 미숙함이 여럿 있었다. 물론 납골함을 안치하시는 분들이 모두 적지 않은 비용을 지불했지만, 그 비용으로는 제대로 된 운영을 하는데 적잖은 한계가 있는 듯했다. 설상가상으로 언덕 위에 지어놓은 납골당의 지반이 약해 납골함 좌우의 기둥이 뒤틀어져서 납골함의 유리문이 열리지 않는 경우가 종종 있는 모양이었다. 총무도 이 사실을 이미 알고 있었다. 하지만 그분도 비상근에 봉사직이었기 때문에 자기가 애쓸 필요가 없는 일이었다. 그렇지만 그 납골당에 부모형제를 모신 분들은 무슨 잘못이 있겠는가? 할아버지, 할머니는? 아마도 시간이 지날수록 납골당의 상태는 점점 안 좋아질 것 같았다. 이럴 거였다면 처음부터 이 사업을 하지 않았어야 하는 것 아닌가 싶은 마음이 들었다.

#17. 아버지의 뜻

장례 리무진 버스가 또다시 출발했다.

첫 번째 장지에 본인의 차량을 가져오셨던 친척분들은 저마다의 자동차로 우리를 뒤를 따랐다. 새로운 장지로 가면 모든 것이 다시 제자리로 돌아갈 것이다. 이젠 걱정할 것이 없다. 두 번째 장지로 떠나는 버스 안에서 나는 그렇게 생각했다.

두 번째 장지는 아버지가 어린 시절을 보내셨던 마을과 더 가까웠고 할아버지, 할머니를 화장하기 전 산소가 있던 곳과 멀지 않았다. 그런 이유로 나도 몇 번 이곳 인근을 방문한 적이 있었어서 이곳이 내겐 더 익숙했다. 다만 G납골묘 자체는 한 번도 본 적이 없었어서 정확한 위치는 알지 못했다.

새로운 장지로 출발한 지 얼마 되지 않아 본인의 차량으로 먼저 출발했던 사촌 형에게 전화가 걸려왔다.

"어. 형."

"어... 알아둬야 할거 같아서, G납골묘에 납골함 안치공간이 예상보다 좁다는데... 우리 유골함은 다른 것보다 크지 않나?"

"아... 그럼 혹시 안 들어가면 어떻게 해야 되는 거야?"

"정 안 들어가면... 새로운 유골함을 사다가 다시 부어야겠지... 일단은 가서 한번 깊이를 봐야 할거 같은데?"

우리는 납골묘 자체를 처음 방문하는 길이었기 때문에, 이곳에는 유골함을 어떠한 방식으로 안치하는지, 납골묘에 허용 가능한 유골함의 너비는 어떻게 되는지에 대한 사전 지식 전무했다. 미리 방문하지 못했던 내 책임이 컸다. 만약 크기가 안되면... 유골함을 다시 열어야 하는 경우가 생길 수도 있었다. 화장장에서의 유골함 질소 처리 과정이 떠올랐다. 밀봉 과정 때문에 유골함이 열리지 않으면? 최악의 경우 유골함을 부셔야 할지도 몰랐다. 생각만 해도 너무 힘든 과정이었다. 등골이 스산해지는 느낌이 들었다.

오후 6시쯤엔 새로운 장지 근처에 점점 다다랐다. 인근에 넓은 저수지가 있었고, 저수지 옆의 넓은 공터에 버스를 주차했다. 더 이상은 버스가 올라가기 어려웠기 때문에 이곳에 버스를 주차했다. 버스를 쫓아온 자동차 4~5대도 줄줄이 그 공터에 들어왔다. 사촌형의 말로는 그 공터에서 조그마하게 나 있는 외길을 끼고 자동차로 2~3분 정도는 더 가야 두 번째 장지인 G납골묘가 나온다고 했다. 나는 마음이 급했다. 아버지의 유골함을 목에 걸고 버스에서 후다닥 내리려고 하는 내게 버스 기사님이 화들짝 놀라 이야기하셨다.

"상주님. 일단 영정사진이 먼저 나가야 되는데..."

"아... 기사님. 지금 그런 거를 따질 때가 아니어서요. 제가 먼저 빨리 가서 유골함이 납골묘에 들어갈 수 있는지 확인해봐야 돼서..."

기사님이 나의 얼렁뚱땅한 이유를 이해하셨는지와 상관없이 난 아버지의 유골함을 다시 안아 들고 버스에서 후다닥 내렸다. 그러면서 우리 가족을 포함한 다른 친척분들께 이야기했다.

"먼저 올라갈 테니까, 천천히 오셔요. 가서 안치할 수 있는지 확인해 볼게요."

버스 밖에는 사촌 형이 본인의 SUV 차량을 이미 준비시켜 놓은 후였다. 나는 그 SUV의 뒷자리에 냅다 올라탔다. 나와 아버지의 유골함을 실은 SUV가 출발했다. 얕은 평지로 되어있던 그 길은 점차 경사가 깊어지더니 주위에 나무로 우거진 산으로 들어갔다. 말 그대로 '산'이었다. 경사는 점점 더 높아졌다. 길이 정비되어 있지 않은 진정한 '오프로드'의 길이었다. 이렇게 까지 깊게 들어가나 싶어 내가 형에게 물었다.

"여기가 맞아?"

"맞는 거 같은데... 확실하게는 모르겠네..."

내 부탁으로 사촌 형이 이곳을 한번 방문한 적은 있었지만 산속에 아무렇게나 난 길을 올라가야 했기 때문에 형도 확신이 없었다. 산세가 점점 더 깊어졌다. 아직은 괜찮았지만 해가 점차 지고 있었어서 살짝 무서워질 정도였다. 걸어오기에는 상당한 거리와 경사가 있었다. 그렇게 차로 3분여를 달리고 나자 경사가 낮아지고 나무도 듬성듬성해졌다.

"아! 맞다. 저기 앞에!"

형이 이야기한 산속 외길 끝에 넓은 산 중턱이 모습을 드러냈다. 그 산 중턱은 계단식으로 깔끔하게 정비가 되어 있었고, 둥그런 봉분 2기가 위와 아래에 놓여 있었다. 우리보다 먼저 그곳에 도착하신 아버지의 친구 한분이 아래쪽 봉분 옆에 서 계셨다.

납골묘의 외형은 일반적인 묘와 다르지 않았다. 둥그런 봉분과 그

봉문의 앞에는 대리석으로 만든 가로 세로 약 1m에 달하는 무릎 높이의 제단이 놓여 있었다. 그 옆에는 꽃을 꽂을 수 있는 대리석 화분도 놓여 있어서 제법 그럴듯한 외형을 갖추고 있었다. 이 납골묘가 일반묘와 다른 가장 큰 차이점은 봉분의 하단을 빙 둘러 10개의 대리석 뚜껑이 있었는데, 이 대리석 뚜껑을 열고 그 안에 유골함을 밀어 넣는 형식으로 만들어져 있었다는 점이다. 따라서 유골함을 묘의 안쪽에 안치하기 위해서는 유골함의 높이와 너비가 납골묘 내부의 안치공간보다는 작아야 했다. 나는 납골묘를 그런 식으로 안치하는지 그때 처음 알았다.

이곳에 도착하기 전에 이곳 G납골묘를 담당하시는 총무인 6촌 형님과의 통화에서 위쪽의 납골묘는 이미 다 들어가 있었다고 했고, 아래쪽에는 몇 개의 유골함이 들어있으니, 일단 비어있는 곳에 넣으면 된다고 하였다. 별도의 순서에 대해서는 추후 논의될 예정이라, 지금 넣는 공간이 변경될 수 있을 것이라는 말도 함께 전해 들었다.

먼저 도착하신 아버지의 친구분께서 납골묘의 정면을 중심으로 4시 방향의 하단 대리석 뚜껑을 이미 열어두신 상태였다. 내가 아버지의 유골함을 들고 내리려고 하자, 아버지의 친구분께서 내게 말씀하셨다.

"아버지 막 옮기지 말고... 일단 대충 길이를 잴 수 있는 것으로 한번 재봐봐..."

일리 있는 말씀이었다. 여기까지 아버지를 옮긴 것도 죄송한데, 유골함을 이리저리 막 들고 다니는 것에 더 주의를 기울일 필요가 있었다. 사촌 형의 차 내부를 보니 굴러다니는 옷걸이가 눈에 띄었다. 그 옷걸이로 대략적인 높이와 너비를 측정했다. 아버지의 유골함을 차 내부에 내려둔 채 옷걸이를 들고 납골묘로 향했다.

이미 열려있던 납골묘의 안치공간은 내 예상보다는 넓었다. 들고 간 옷걸이를 눕히고 세워 높이와 너비를 비교했다.

"된다. 돼!!!"

혹시 몰라 이번에는 반대로 유골함의 높이와 너비를 측정하고 차로 돌아가 유골함의 그것과 비교하였다. 넉넉하진 않지만 2~3cm가량의 여유는 있었다. '이젠 됐다.' 안도의 한숨이 밀려 나왔다.

아버지의 유골함을 다시금 조심히 안아 들었다. 화장한 지 4~5시간이 지났는데도 여전히 그 유골함은 따듯했다. 그 유골함을 안치공간에 살며시 밀어 넣었다. 보기 좋게 안치가 되었다. 아버지의 유골함을 안치하고 나서 잠시간 그곳에서 일행들을 기다렸다.

어머니, 동생, 아내, 사촌 등 3~4인씩 일행들이 나눠 탄 차가 속속 도착했다. 4~5대의 승용차가 그 산길의 한쪽면을 꽉 채웠고, 20여 명의 친인척이 모두 자리했다. 동생이 아버지의 영정사진을 제단의 한가운데에 올려두었다. 도착하시는 분들은 납골묘 하단에 아버지의 유골함이 잘 놓여 있는 것들을 한 번씩 바라보시거나, 가만히 손을 얹어보시는 등 저마다의 안도와 슬픔의 감정을 표현하셨다. 제사는 방금 전 M납골당에서 지낸 것으로 갈음했다.

그제야 납골묘가 자리한 그곳의 경치가 눈에 들어왔다. 산 중턱에 자리한 납골묘의 위치 때문에 이곳에 오르기가 쉽지 않았지만 반대로 납골묘의 앞이 넓게 티어져 있어서 멀리 마을이 한눈에 들어오는 썩 괜찮은 조망을 갖고 있었다. 예전에 아버지가 어릴 적에 뛰어놀던 마을, 그 마을 뒷 켠에 자리한 선산. 그곳에서 아버지가 오랜 서울생활 동안 그리워하셨던 그 마을을 바라보시며 편히 쉴 수 있으실 것 같았다. 어머니도 나와 비슷한 기분이 드셨는지 조용히 말씀하셨다.

"답답한 납골당 안에 있지 않고 이곳에 와서 좋은 것 같네. 결국 아버지의 뜻대로..."

M납골당에서 겪었던 황당함 때문인지 오히려 최종적인 장지가 더 마음에 들었다. 그렇게 야외 납골묘에 아버지를 모시고 보니, 뜻하지 않게 질소처리가 가능한 유골함을 준비한 것도 다행이라 생각이 들었다. 나, 어머니, 동생은 아버지의 납골묘 옆에서 사진을 한 장 찍었다. 아버지가 가시는 길에 마중 나오신 분들이 이렇게나 많다는 것을 남기기 위해 그곳에 참석한 모든 분들과도 간단하게 사진을 하나 남겼다. 오랜만에 모두가 희미한 웃음을 보였다. 아마도 그간 우리가 겪었던 마음고생을 일단락하였다는 의미가 컸을 것이라 생각했다.

적잖이 시간이 흘렀다. 오후 7시쯤이 되어 이제는 떠나야 할 시간이 되었다. 내가 친척분들에게 이야기했다.

"이제 닫을게요."

마지막 작별의 순간이 오자 다시금 아버지와의 작별이 아쉬운 몇몇 분은 유골함에 손을 얹고 이별의 말을 건넸다. 모든 사람이 지나간 뒤에 나도 조용히 이야기했다.

"이제 진짜 갈게요. 금세 또 올 테니까 잠시 쉬고 계세요."

나는 마지막 작별의 말을 끝으로 아버지의 유골함이 안치된 공간의 대리석 뚜껑을 닫았다. 그렇게 아버지는 고향을 떠난 지 50년이 넘어 한 줌 재가 되어 귀향하셨다.

…

저녁시간이 늦었지만 참석해주신 모든 분들에게 저녁식사를 대접해야 했다. 나는 그곳에서 먹을 수 있는 식당을 잘 몰랐기 때문에, 근처를 잘 알고 계시는 분께 많은 사람이 들어갈 수 있는 식당 예약을 부탁드렸다. 그렇게 찾은 식당도 우연찮게 '갈비탕집'이었다. 갈비탕집 테이블에 삼삼오오 모여 식사를 했다. 발인 동안 있었던 우여곡절을 해결했다는 기분 때문인지 식사시간 동안은 한결 기분이 괜찮았다.

8시쯤 식사를 마치고 나니 해는 이미 기울어 어두운 밤이 되었다. 버스 리무진은 다시 서울의 B병원으로 돌아가야 했다. 서울에서부터 내려오신 분들은 그 버스를 타고 다시 올라가야 했고, 천안, 청주 등에서 자신의 차량으로 오신 분들은 각자의 경로로 돌아가실 예정이었다. 나는 그곳 청주에서 오송역으로 가서 주차해둔 차를 타고 세종으로 바로 가면 됐었기 때문에 그 식당에서 마지막 인사를 건넸다. 헤어지는 자리에서 많은 친척분들은 서로에게 안부를 건네며 밝은 웃음을 띘다. 평소에 자주 찾아뵙지 못하는 친척분들이지만, 그 순간만큼은 정신적으로 서로에게 많은 의지가 되었음을 다시금 느꼈다. 어머니와 동생과도 인사를 나눴다. 처음보다 밝은 얼굴로 돌아가시는 모습에 묘한 안도감이 들었지만, 축 처진 어깨에 무언가 모를 쓸쓸함이 짙게 묻어 있는 느낌이 들었다.

집에 돌아왔다. 5월 4일 떠났던 여수 여행부터, 5월 9일 발인까지 계산하면 5박 6일 만에 돌아온 집이었다. 세종 집에는 두 딸아이와 장모님이 함께 계셨는데, 발인 과정 동안 같이 자리하지 못했던 어린 두 딸아이를 돌보기 위해 장모님께서 서울에서부터 아이들을 데리고 어렵게 세종행을 해 주셨다. 장모님은 내게 '고생했다.'는 말 이외에 다른 말을 건네지 못하셨다. 아마도 어떤 위로의 말도 그 당시는 건네기 어려우신 것 같았다.

집에 오자마자 일단 씻기 위해 화장실로 들어갔다. 장례식 기간 동안 샤워는커녕 속옷 한번 갈아입지 못했었다. 샤워부스 안에서 샤워기를 틀어 물줄기를 가만히 맞았다. 머리가 멍했다. 며칠간 내가 무슨 일을 겪었는지가 현실적으로 느껴지지 않았다.

저녁 10시쯤이 되어 아내는 둘째와 같이 안방으로, 어머니는 첫째와 같이 애들 방에 들어가 잠을 청했다. 나는 불 꺼진 거실에서 조용히 TV를 틀었다. 리모컨을 오랜만에 만졌다. 무언가 알지 못하는 방송이 TV를 통해 흘러나왔다. 눈으로 무언가를 보고, 귀로 듣고는 있었는데, 무엇을 보고 듣고 있는지는 인식이 되지 못했다. 눈, 귀, 머릿속이 서로 따로 놀았다. 한동안 멍하니 그렇게 시간을 보냈다.

저녁 11시쯤 구석에 있는 애들 공부방 바닥에 매트리스를 깔고 누웠다. 장모님이 가끔 세종에 내려오시면 내 침실은 항상 구석에 있는 애들 공부방이었어서, 그날도 별반 다르지 않았다. 몸과 마음이 너무 피곤하고 힘들었지만 잠에 쉽게 들지 못했다. 불 꺼진 방 가운데서 스마트폰을 켰다. 문득 내 스마트폰의 'T전화'어플의 자동 통화 녹음 기능이 떠올랐다. 어플을 켜고 녹음된 통화를 찾아봤다. 올해 2월부터 모든 통화가 녹음되어 있었다. 무슨 이유인지 모르겠지만 그 전의 통화 녹음은 들을 수 없었다.

아버지가 돌아가신 5월 7일. 사망선고가 있던 그 2시 인근부터 통화 녹음을 듣기 시작했다. 아내에게 전했던 아버지의 사망 소식을 다시 듣자 그때의 감정으로 돌아간 듯 다시 눈물이 흘렀다. 통화 녹음을 점차 거꾸로 거슬러 올라갔다. 5월에 전해졌던 어머니의 다급한 목소리, 4월 매일매일의 아버지의 건강상태에 대한 통화, 3월과 2월에는 그나마 평온하게 전했던 목소리를 거치면서 그때의 내 감정들이 떠올랐다. 그렇게 울다 멈추었다를 반복하고 나니, 새벽 2시가 넘어 있었다.

아버지와의 병환과 관련한 통화는 어머니와의 통화가 대부분이었다. 문득 아버지의 전화번호를 눌러보았다. '3월 11일', '2월 24일'의 두 통화가 기록되어 있었다. 그 기간 동안 나는 어머니와는 수십 통의 전화를 주고받았지만, 아버지께는 단 두통의 전화만 걸었었다. 아버지의 병환을 아버지께 직접 전해 듣는 게 부담스러웠다는 게 그 당시의 핑계였었다. 아버지의 목소리를 이런 식으로 들을 줄 몰랐지만, 생각보다 적은 아버지와의 통화수에 나의 무심함을 잠시 질책했다.

아버지와의 통화 녹음을 누르기가 살짝 두려웠지만, 아버지의 목소리를 듣고 싶었다. 3월 11일 통화 녹음을 가만히 눌렀다. 3월 11

일은 어머니가 아버지의 목소리가 너무 안 좋다고 전화를 한번 드려보라고 했던 날이었다.

나: "여보세요?"
아버지: "응..."
나: "지금 항암 하고 계세요?"
아버지: "응..."
나: "아니.. 목소리가 너무 안 좋다고 해서 엄마가.."
아버지: "목소리는 뭐... 약 먹으면 항상 그런 걸 뭐."
나: "목소리가 안 좋긴 하네... 몸이 좀 어때요?"
아버지: "괜찮아... 컨디션은 좋아..."
나: "컨디션이 좋은데, 목소리가 왜 그래~ 목소리가~ 아무튼, 잘하시고. 내일 퇴원하시는 거야?"
아버지: "어... 내일 아니면 모래지 뭐..."
나: "그래요. 알았어요. 우리가 1~2주 안으로 한번 갈 거야. 그때 봬요."
아버지: "어 그래.. 알았어."
나: "알았어요. 항암 잘 받으세요..."
아버지: "어... 어..."

그 통화는 항암주사를 받는 와중에 드렸던 전화였는데, 쩌렁쩌렁한 나의 목소리와 달리 아버지의 목소리는 누가 들어도 아픈 사람의 목소리였지만, 본인의 컨디션은 여전히 좋다며 힘을 내고 계셨었다. 2월 24일의 통화에서도 여전히 그 아픈 목소리는 계속되었다.

나: "여보세요?"

아버지: "응..."

나: "병원이시지? 입원했다고 이야기 들어서...

아버지: "응..."

나: "항암은 하셨어?

아버지: "이제 한병 맞았어..."

나: "한병? 지금 하시는 중이야? 아니지? 오늘은 그냥 누워있는 거 아닌가?"

아버지: "아니야. 지금 하고 있어..."

나: "지금 하고 있어??? 아... 알았어요. 잘하세요."

아버지: "링거 꼽고... 한병 더 맞아야 돼..."

나: "아. 알았어요. 몸조리 잘하세요."

아버지: "애들... 그 저기... 요즘 코로나가 심한가 보던데... 애들 조심시켜."

나: "알았어요. 아빠 몸조리나 잘하세요..."

아버지: "그래. 그래."

그 두 통화는 모두 아버지의 항암치료 중에 드렸던 전화였다. 멀쩡한 목소리는 하나도 없었다. 갑자기 어두운 산 중턱에 외롭게 놓여 있는 아버지의 유골함이 떠올랐다. 눈물이 멈추질 않았다. 아버지를 잘 모셨다 생각했었는데 내 마음에서는 여전히 아버지를 놓지 못하고 있었다.

…

그날 새벽 3시가 넘도록 통화 녹음을 듣고 또 들었고, 그 통화 하나하나에 울고 또 울었다.

4부
빈자리와 남은 사람들

#18. 남은 사람들

다음날 언제인지 모르게 아침에 눈을 떴다.

아이들의 등교 준비 소리에 눈을 떴던 거 같으니, 아마도 아침 8시쯤이 되지 않았나 싶었다. 장모님은 당일 서울에서 조카의 등원을 위해 이른 새벽녘에 이미 떠나신 뒤였다.

평상시의 스케줄이었다면, 아내가 아침 7시쯤 출근하고, 내가 그 바통을 이어받아 아이들의 등원 준비를 했었을 테지만, 그날은 내가 전날 잠을 설친 덕에 아내가 아이들의 등원을 준비를 하고 있었다.

나는 육아휴직 중이라 출근에서 자유로웠고, 아내는 평일이었음에도 불구하고 '시부상'으로 인한 '5일의 공가'를 부여받은 상태였다. 직장인들은 대게 부모상인 경우 며칠간의 공가를 부여받는데, 아내가 다니고 있는 공공기관에서는 부모상으로 인한 공가가 5일로 정해져 있었다. 아버지가 토요일에 돌아가셨기 때문에, 그 5일의 휴가는 다음 주의 평일인 월요일부터 금요일까지인 9~13일로 정해져 있었다. 부모님의 상을 이겨내기엔 짧다면 짧은 5일의 휴가였지만, 그래도 그 덕에 아내가 옆에 있으니 마음이 한결 평안해짐을 느낄 수 있었다.

아이들이 없는 평일에 아내와 단 둘이 집에 있는 경우는 사실 흔치 않다. 우리가 평일에 휴가를 쓰는 경우는 특별한 개인적인 사유가 있거나, 아이들과 함께 무엇을 해야 하는 경우가 대부분이었기 때문에, 이렇게 무엇인가 계획 없는 하루를 보내는 일이 비교적 드물었다.

하지만 그 공가 덕분에, 나는 평온하고 느릿한 하루를 시작할 수 있었다. 내가 8시쯤 잠자리에서 느릿느릿 일어나는 동안, 아이들은 오랜만에 엄마와 함께 즐겁게 등교 준비를 마쳤다. 8시 25분쯤이 되어 나는 아내, 아이들과 같이 등원에 나섰다. 아이들이 다니는 초등학교가 집 바로 옆이어서 채 10분이 걸리지 않는 짧은 시간에 등원을 마쳤다.

아이들을 학교에 보내고, 아내와 둘이 여전히 괜찮은 아침 날씨를 만끽하며, 세종의 거리를 걷기로 했다. 오랜만에 빈둥빈둥 걷는 것도 기분을 전환하는 좋은 방법임을 새삼 느꼈다.

우리 둘은 약 30분을 걸어 옆 동네의 가성비 좋은 커피숍에 도달했다. 그 커피숍은 산미가 가득한 커피를 파는 곳으로 나름 유명한 곳이었고, 가격도 저렴해서 나와 아내가 참 좋아하는 곳이었다. 그 커피숍은 내가 일하는 연구원 인근에 있었는데, 아내가 육아휴직 중이었던 시기에는 아침마다 이곳을 같이 들러 커피 두 잔을 주문하고 나는 연구원으로, 아내는 아침운동 삼아 집으로 향하는 일상을 반복했었다. 오랜만에 둘 다 쉬고 있는 평일의 아침에 우리 둘은 마치 '백수커플' 마냥 그곳을 다시 찾았다. 커피숍에 마련된 키오스크를 통해 '아아'(아이스 아메리카노) 두 잔을 주문했다. 금세 나온 '아아'를 한숨 들이키니 오랜만에 마셔도 역시나 맛이 참 좋았다.

집에 돌아와 잠시간의 시간을 보낸 뒤, 오랜만에 아내와 단둘이 점심 외식을 위해 차를 몰고 밖으로 향했다. 아내는 며칠간 먹었던 심심한 갈비탕 대신 무언가 매콤, 쌉싸름한 자극적인 음식이 당기는 모양이었다. 그렇게 고른 음식이 '철판 닭갈비'였다. 11시 30분쯤 다소 이른 시간에 철판 닭갈비집에 들어가 주문을 넣었다. 이른 시간이었기 때문에 식당 안에는 손님이 별로 없었다. 저 멀리 TV에서는 곧 있을 '2022 지방선거'와 관련한 뉴스가 흘러나오고 있었다.

주문한 음식을 들고 나온 종업원이 직접 철판 앞에서 한참을 익혀준 뒤에 드디어 닭갈비를 먹을 수 있는 시간이 되었다. 오랜만에 며칠간 먹어보지 못했던 매콤한 음식 맛이 혀를 타고 목구멍으로 넘어왔다. '어? 왜 맛있지?' 그 순간 이 음식이 왜 생경했는지가 문득 떠올랐다. 그리고, 갑자기 눈물이 흘렀다. 아내는 닭갈비를 먹다 말고 갑자기 눈물을 흘리는 날 보고 적잖이 놀란 모양이었다.

"왜 그래?"

"아니... 그냥..."

나도 눈물을 흘리는 게 머쓱했던지, 금세 눈물을 훔치고 괜찮은 듯이 대답했다. 불과 며칠 전 아버지를 떠나보내고 어제까지 전쟁 같던 하루하루를 보냈지만, 나는 이성적으로 현실을 직시하고 있다고 생각했었다. 그래서 '다시 찾아온 일상'을 조용하고 평온하게 보낼 수 있을 줄 알았다. 나는 내 스스로 '괜찮은 줄' 착각했다. 그런데 사실은 그러지 못했기 때문에, 그러길 바랐던 모양이다.

문득 아버지가 이젠 내 곁에 없음을, 같은 하늘 아래 계시지 않는다는 것이 떠올랐다. 그날은 자주 그랬다. 그때마다 내 의지와 상관없이 내 눈은 어김없이 눈물을 쏟아냈다. 길을 걷다가, 집에서 멍하니 TV를 시청하다가, 가만히 앉아있다가 불쑥불쑥 내가 처한 현실이 떠오를 때면, 울컥하는 마음을 다잡을 수 없었다. 그날의 내 바이오리듬은 지극히 정상적이지 않았다. 그렇게 무언가 뒤죽박죽인 하루를 보냈다.

그날 저녁 잠자리에 누워 '검은 양복' 한벌을 주문했다. 인터넷을 이리저리 검색해보니, 아예 '장례식 검은 양복'이라는 키워드를 가진 양복을 팔고 있었다. 제목에는 '고급'이라 적혀있었지만 10만 원쯤 하는 '막 양복'이었다.

내가 검은 양복을 구매한 아주 표면적인 이유는 그 흔한 검은 양복이 한벌도 없었기 때문이었다. 평상시에도 양복을 가끔 입긴 하는데, 위아래 검은색으로 맞추어진 양복은 한벌도 없었다. 그동안 여타의 장례식을 가는 자리에서도 그저 어두운 색의 양복을 적절히 맞춰 입고 가면 그만이라 생각했었기에, 검은색 양복을 갖춰 입을 필요성을 느끼지 못했었다. 당장 다음날 있을 '삼우제'는 어렵더라도, '49재'를 치르기 위해서라도 검은색 양복 하나쯤은 사두어도 좋겠다 싶었다.

사실 내게 있어 검은 양복은 죽음을 대비하는 '상징적인 준비물'의 느낌이 강했다. 많은 사람들이 '결혼식은 못 가더라도 장례식은 꼭 찾아가야 한다.'라고 했는데, 나는 사실 그 반대였다. 다른 사람들의 슬픔의 공간에 찾아가는 것이 내겐 생각만큼 쉽지 않았다. 그

공간에 들르면 내 마음도 무척이나 슬퍼져서 나는 검은색으로 가득 찬 장례식의 방문을 꺼려하는 편이었다. 그것이 애써 내가 그동안 검은 양복을 구매하지 않았던 또 다른 이유이기도 했다.

아버지의 병환이 점점 깊어졌을 때, 미리 검은 양복을 준비해야 하는 것 아닌가 하는 생각이 들었었다. 하지만, 그 '묫자리'에 대한 '사전답사'와 마찬가지로 내 마음이 그 양복의 구매를 뒤로 밀어내고 있었기 때문에 손가락 몇 번 움직이면 구매할 수 있는 그 흔한 양복 한 벌을 구매하지 못했었다.

하지만, 아버지의 '죽음'을 맞닥뜨리면서 내가 가지고 있던 '죽음'에 대한 생각이 한 겹 벗겨진 느낌이 들었다. 내가 이미 경험한 이 슬픔의 느낌으로 다른 사람들의 마음을 '공감'할 수 있을 것 같은 느낌이 들었고, 죽음과 슬픔에 대해 예전보다는 적극적으로 다가갈 수 있을 것 같았다. 또 그럴 나이가 되었다는 생각도 들었다.

그래도 그 양복을 자주 입지 않기를 여전히 바랬다. 그러지 못할 것 같은 느낌과 함께...

다음날 우리는 아버지의 삼우제(三虞祭)를 지내야 했다. 나는 그때까지도 '삼우제'를 '삼오제'(三五祭)라 칭하는 줄 알았다. 돌아가신 날로 3일, 5일에 지내는 제인 줄 알았는데, 삼우제를 준비하면서 알고 보니 장례를 드리고 난 후 삼일이 되는 날 '영혼을 염려하여 지내는 제사'(우제: 虞祭)의 의미를 가지고 있었다.

우리는 아버지를 9일에 납골묘에 모셨기 때문에, 이로부터 삼일째가 되는 '5월 11일'이 삼우제의 날짜였다.

나는 제사를 준비하는 데 있어서 '쌩초짜'였다. 말 그대로 아무것도 몰랐다. 그간 큰집에서 치르는 할아버지, 할머니의 제사에 매번 참석은 했었지만, 정작 제사상에 무엇을 올려야 할지, 어떤 방식으로 해야 하는지는 자세히 몰랐다.

무지한 아들을 대신하여 전날 어머니는 아버지의 삼우제 준비를 위해 우리에게 몇 가지 부탁을 하셨고, 본인도 몇 가지를 준비하셨다. 삼색나물, 각종 전, 청주와 술잔, 접시, 칼 등 각종 준비물은 우리 집에서 담당했다. 어머니는 소고기 육적, 사과 등 기타 음식거리 등을 준비하겠노라 이야기하셨다.

평소 제사를 치르지 않는 아내에게 많은 것을 부탁할 순 없었는데, 다행히도 동네에 이런 제수음식을 잘하는 반찬집이 있어서 그곳에 음식 주문을 넣었다. 나머지 준비물은 각종 잡화를 파는 동네 마트에서 구입했다.

삼우제에는 어머니, 동생, 나, 아내와 딸아이 둘이 같이 참석할 예정이었다. 두 딸아이는 아버지의 발인 과정에는 참석하지 않았기 때문에, 납골묘에는 처음 방문하는 것이었고, 아내는 그런 두 아이들에게 할아버지에게 하고 싶은 말을 편지로 적어보라고 부탁했다. 아이들은 엄마의 부탁에 삐뚤삐뚤한 글씨로 무언가를 열심히 적었다.

당일 오전 10시 30분경에 나와 아내, 두 딸아이가 세종에서 출발했다. 11시경에 오송역에 도착하여 어머니와 동생을 만났다. 어머니와 동생은 그들이 담당한 준비물 이외에 마치 '생화 같은 그럴듯한 조화'를 구매해 들고 오셨다. 그 조화는 얼핏 봐도 '퀄리티'가 꽤 있어 보이는 조화였다. 조화 하나에도 어머니의 마음씀이 느껴졌다.

가는 길에 납골묘 인근에 거주하시는 넷째 고모와 또 다른 사촌 형을 만나서 그 길을 같이 동행했다. 그렇게 모인 여덟 명이 아버지가 계신 청주의 납골묘로 향했다.

아버지를 모신 지 이틀 만에 몇 명의 식구가 다시 그 자리에 모였다. 혹자는 헤어진 지 이틀밖에 안 되었는데 뭘 다시 모이냐고 이야기할지도 모른다. 하지만, 그 당시 내 경험으로는 같은 슬픔을 오롯이 공유하는 사람들로부터 얻는 묘한 안도감이 있었고, 그들과 같이 있을 때는 아버지에 대한 추억이 더 짙어지는 느낌도 들었다.

11시 30분쯤이 되어 납골묘에 도착했다. 어제저녁에 주문한 '검은 양복'은 배송에 며칠이 걸릴지 몰랐기 때문에, 검은 양복 대신 평소 자주 입는 짙은 남색 양복을 입고 상주 완장과 리본을 착용하고 납골묘 앞에 섰다. 집에서 가져간 널찍한 대나무 돗자리를 깔고 제단에는 준비한 음식물을 차렸다.

제사상 차리는 방법과 제사의 순서를 잘 모르는 우리를 대신해 또 다른 사촌 형은 마치 감독관처럼 우리에게 이리저리 지시를 내렸고, 우리는 그 지시를 따라 상을 차렸다. 제사를 지내는 순서는 더 어려웠다. 전날 찾아보니 '강신, 참신, 초헌, 독축...' 등으로 이어지는 복잡한 방법이 있는 모양이었다. 하지만 그 모든 것을 제대로 하긴 어려웠다. 제사의 순서는 사촌 형의 가르침을 바탕으로 간소화해서 진행했다. 향을 붙이고, 술을 따르고, 내가 절을 하는 반복된 행위가 이어졌다.

어머니는 아버지를 위한 이 제사가 여전히 현실 같지 않으신지 이내 눈물을 훔치고 계셨다. 아쉽다. 안타깝다. 하지만 어쩌겠는가.

아버지의 투병 중에는 우리 중 가장 굳건히 마음을 지키신 어머니셨지만, 아버지가 돌아가시고 난 뒤에는 온몸으로 부딪히는 그 슬픔에 가장 힘들어하시고 계신 것 같았다.

동생과 아내가 절을 드리고 난 뒤, 아이들이 같이 절을 올렸다. 아이들은 할아버지가 돌아가신 현실은 충분히 인지하고 있었지만, 그 슬픔에는 공감되지 못한 모습이었다. 하지만 그대로의 모습도 충분했다. 아이들이 전날 적어온 편지를 주섬주섬 꺼내 들었다. 그네들에게 큰 소리로 읽어보라고 했지만, 못내 쑥스러운 듯이 조그마하게 이야기했다.

"그냥... 할아버지가 읽으시면 안 돼?"

"할아버지... 못 읽으셔. 아빠한테 줘. 내가 읽어줄게. 괜찮지?"

"응."

쑥스러워하는 아이들이 편지를 내게 들이밀었다. 빨간 봉투 안에 들어있는 그 조그마한 카드 겉면에는 이쁜 '카네이션'이 그려져 있었다. 아버지가 어버이날 전일에 돌아가신 게 새삼 생각났다.

나는 첫째 아이의 편지부터 받아 들고 천천히 읽어 내렸다.

친할아버지 사랑해요♡

영원히 할아버지를 기억할게요

할아버지의 얼굴도 자주 기억할게요

전 할아버지를 믿어요

마지막으로... 한번 더 사랑해요

연이어 둘째 딸의 편지도 읽어 내려갔다.

친할아버지 아프지 마세요 사랑해요
좋은 하늘나라 가시고 잘 지내세요
[둘째 손녀] 많이 슬퍼요 ㅠㅠ
[둘째 손녀]가 응원할게요^^
할아버지 정말 정말 사랑해요♡
I Love You

아이들의 부족한 글솜씨 때문에, 얼마나 그 의미를 잘 알고 적었는가는 잘 모르겠다. 하지만 그와는 상관없이 나는 울컥하는 마음을 추스르고 글을 읽어 내려가야 했다. 아버지에게 글을 읽어드려야 하는 그 순간만큼은 세상에 있는 그 어떤 글귀를 읽었다고 하더라도 뒤숭숭한 마음을 잘 잡아낼 수 없을 것 같았다.

그렇게 간단한 제사를 마치고, 그곳에 모인 모두는 제사음식을 나눠먹으면서 아버지를 추억하는 시간을 잠시 가졌다. 햇볕이 점점 뜨거워지는 날씨여서 오랜 시간을 야외에 자리할 수는 없었다. 오후 1시쯤이 되어 납골묘에서의 행사를 정리하기로 하였다.

떠나기 전에 나는 아버지의 유골함을 다시 한번 눈으로 보고 싶었다. 아버지의 유골함을 넣은 곳의 대리석 뚜껑을 조심히 열어 다시금 가만히 손을 얹어보았다. 이틀 전만 해도 따듯했던 그 유골함이 이제는 '차갑게' 식어 있었다. 그 차가운 유골함은 마치 우리에게 지금의 현실을 알려주는 듯했다.

'뜨겁던 이별의 시간은 이제 끝났다. 이제는 냉정하게 현실을 살아라.'

…

나뿐 아니라 모두의 마음이 아려왔다.

#19. 정리해야 하지만, 정리할 수 없는 것들

우리는 뜨거운 이별을 정리하고, 현실을 살아야 했다.

하지만 아버지의 빈자리와는 다르게 우리가 느끼는 아버지의 추억은 너무 컸다.

'공수래공수거'(空手來空手去)라 했던가? 그 말은 반은 맞고 반은 틀리다. 우리가 아는 것처럼 망자는 빈손으로 간다. 하지만, 그가 생전 머물렀던 자리에는 그 사람의 것으로 가득하다. 남아 있는 사람에게는 '공수래만수거'(空手來滿手去)가 더 들어맞는다. 우리가 우리의 현실을 살기 위해서는 그 '만수거'를 정리해야 했다.

아버지의 흔적을 지우기 위해서는 여러 복잡한 과정이 필요했다. 사실 중요한 것은 '눈에 보이지 않는 것'들 이겠지만, 우리가 당장 할 수 있는 것은 '눈에 보이는 것'들에 대한 정리였다.

서울 본가의 집은 항상 무언가로 가득 들어찬 일종의 '멕시멀리스트'(Maximalist)의 집과 같았다. 나도 결혼 후 분가하기 전까지는 그 삶에 꽤 익숙해 있었기 때문에, 잡화를 가득 품은 그 집이 이상하다는 생각을 전혀 하지 못했다. 그런 집을 갖게 된 이유에는 우리 가족 모두가 일정 부분 지분을 가지고 있었고 아버지 또한 적잖은 지분을 보유하셨었다.

아버지는 무엇인가를 자주 사지도 않으셨지만, 쉬이 버리지도 못하셨다. 아마도 풍족하지 못하셨던 어린 시절에 대한 영향이 아닐까 생각된다. 덕분에 아버지가 머무르셨던 서울 본가에는 아버지의 물건이 구석구석을 메우고 있었다. 당장 집에 다시 들어오셔서 그대로 쓰실 것 같은 물건들. 그 물건들을 바라보고 있으면, 남아있는 사람들의 마음이 좋을 리 없었다.

아버지가 돌아가신 뒤 서울본가에 남게 된 사람들. 그리고, 아버지의 '유품'으로 불리는 것들. 그들에게 그것들은 버려야 하지만, 차마 마음 아파 버릴 수 없는 것들이었다. 한낱 쓰레기 같이 별것 아닌 것들도 아버지를 생각하면 함부로 버리기 어려웠지만, 아버지와의 추억에 마음이 아플수록 '역설적'으로 그 흔적을 정리해야만 했다. 그렇게 서울 본가의 어머니와 동생은 아버지의 흔적이 가득한 집을 정리하기로 했다.

그 수많은 유품 중 가장 눈에 띄는 것들은 아버지의 손때가 묻은 '옷가지'들이었다. 옷이야 한낱 천으로 만들어진 의류에 불과했지만, 그 옷가지를 보면 마치 '가상현실'과 같이 아버지의 착장 모습이 떠오르는 것은, 일종의 '조건 반사적' 사고였다. '저 바지는 저렇게 입으셨었지.', '저 티를 입으면 저렇게 보였었어.'와 같은 상상의 나래는 남은 자들에게 추억을 넘어 고통으로 여겨졌을 것이다. 당장 마지막에 병원으로 가시면서 침대 옆에 벗어두신 아버지의 옷가지를 보는 어머니와 동생의 심정은 나로서도 차마 짐작키 어려웠다. 아마도 그 옷을 보고 꽤나 많은 눈물을 흘리셨을게다.

삼우제 후 이틀이 지난 5월 13일에 어머니는 아버지가 떠오르는 대부분의 옷을 정리하셨다. '멕시멀리스트'의 집답게 식구들의 옷은 집안 곳곳에 걸려 있었다. 각자의 방안에, 별도의 옷방 안에, 여기저기 걸려있는 그 수많은 옷 중에 아버지의 옷은 적지 않은 분량을 차지했다. 평소 패션에 영 관심이 없던 아버지의 옷들은 작업복이나, 등산복, 편하게 늘어져 있는 옷들이 대부분이었다.

어머니는 아버지의 모든 옷을 버리지는 못하시고 그중에 그나마 '멀쩡했던' 몇몇 옷은 남겨두셨는데, 내가 장가갈 때 사드렸던 '짙은 남색 양복'이 대표적이었다. 아버지는 내 결혼식에서 아들과 며느리에게 덕담을 건네시며 그 양복을 입으셨었다.

아이러니하게도 어머니께서 남기신 그런 '멀쩡한' 옷들은 평소 아버지가 자주 입으셨던 손 때 묻은 옷은 아니었기 때문에, 아버지를 떠올리는데 부족함이 있었다. 하지만, 어머니는 그 옷에 아버지를 기리기 위한 '상징성'을 부여하신 게 아닌가 싶었다. 우연찮게도, 그날은 내가 며칠 전 주문했던 '검은색 양복'이 도착한 바로 그날과 같았다. 나 또한 또 다른 장소에서 아버지를 기리는 상징성을 그 '검은색 양복'에 부여하였다.

옷 다음으로 눈길이 많이 가는 것들은 아버지의 다양한 '작업도구'들이었다. 사무직이야 컴퓨터와 책, 서류가 그 사람들의 작업도구 이겠지만, 아버지가 주업으로 삼으셨던 '타일'은 생각보다 다양한 도구가 필요한 일이었다. 시멘트를 모래와 섞어 게어낼 때 쓰는 도구, 타일을 형태에 맞게 자르는 도구, 타일을 붙일 때 쓰는 도구, 타일을 붙인 뒤 줄눈을 넣은 도구 등 다양한 도구가 차량의 트렁크며, 집안 구석구석에 항상 자리했다.

나도 학창 시절에 몇 번이나 아버지를 쫓아 일터에 갔을 때 봐

왔던 물건들이라 그 물건들을 보면 어떻게 쓰시는지가 눈에 훤했다. 마치 아버지의 분신과도 같은 그 물건들은 본인의 생업을 위해 가장 많은 투자를 하신 물건들이었기 때문에, 다소 고가의 도구들도 있었다. 하지만 아버지가 돌아가신 이후 그 주인을 잃은 도구를 더 이상 집안에 둘 이유가 없어졌다.

어머니는 그냥 버리면 폐기물이 될 물건들을 가치 있게 처분하고 싶으셨나 보다. 그때, 아버지에게 타일을 가르쳐 주셨던 타일 '스승님'이 문득 떠올랐다고 하셨다. 그 스승님은 어머니께 미싱을 배운 제자의 남편분이셨기 때문에 어머니도 그분의 연락처에 알고 계셨다. 어머니는 아버지에게 타일을 가르쳐 주셨던 그 '아버지의 스승'께 전화를 드려 그 도구를 무상으로 드리겠노라 이야기하셨다. 아버지의 스승님은 본인의 아들을 '또 다른 제자'로 키우고 계셨기 때문에, 그 값비싼 도구를 흔쾌히 수령해 가셨다.

이 밖에 아버지의 생업과 관련해서 집안 곳곳에는 꽤나 부피가 나가는 아주 버라이어티 한 '폐자재'들이 있었다. 아버지의 주요 활동무대인 '공사현장'에서는 '버려지는 폐자재'들이 더러 발생되는데, 그중에는 이른바 '돈 되는 쓰레기들'이 있었다. 아버지는 가끔씩 공사장에 가서 돌아오실 때 그 돈 되는 폐자재들을 주어오셨다. 겉으로 보기에는 아무도 관심을 갖지 않는 쓰레기 들이었고, 그곳에 두면 오히려 쓰레기 처분비용이 발생될 것들이었으니 마치 '악어와 악어새' 마냥 적절히 그곳의 쓰레기를 치워주셨다. 그렇게 모은 폐자재들을 옥상의 한켠에 모아두셨다. 아버지는 '농담 반 진담 반'으로 그 철재를 모아서 해외여행을 갈 것이라고 하셨다.

어머니는 아버지가 묵혀둔 그 폐자재도 정리하셨다. 그 처리과정은 정확히 모르겠지만, 전문 처리업체에 위탁하여 처리한 것으로 추측된다. 그 업체에서 수거해 간 폐자재의 양이 상당해서 대략 '100만 원' 가량의 가치가 책정되었다고 했다. 그중 수거 인건비, 교통비 등 비용을 제하고도 어머니는 대략 '50만 원' 정도를 돌려받을 수 있었다. 모두가 비웃을지 몰랐지만, 아버지가 살아계셨다면 '해외여행' 까진 어려웠어도 '국내여행'은 가능했을지도 몰랐다. 참으로 대단하신 분이라는 생각이 다시 들었다.

그 이외에 아버지에게 소유권이 있었던 다양한 물품들은 종류에 따라 일부는 폐기, 일부는 재활용 등으로 저마다 적절한 방식으로 처리하였다. 한 번에 모든 물건을 처리할 순 없었겠지만, 그렇게 남은 자들은 아버지를 잊지 못하는 고통을 감내하기 위해 그 '유품'을 천천히 정리해 나아갔다. 그 이후 오래된 벽지를 새롭게 도배하신다던가, 가족 구성원의 불필요한 물건들도 차츰 정리하는 등 기존의 생활환경도 일부 정리해 나가셨다. 후에 서울 본가를 방문한 내 눈에는 여전히 정리가 필요한 물품이 군데군데 많이 보였지만, 아버지의 유품을 정리한 만큼 우리 집은 한결 깔끔해져 있었다.

하지만 그만큼 우리 집안이 가지는 그 '복작복작한 특색'이 지워진 느낌이 드는 건 어쩔 수 없었다.

사실 눈에 보이는 것들보다 우선 처리해야 하는 것들은 '눈에 보이지 않는' 복잡한 '행정처리'였다. 직계가족이 사망한 경우를 경험한 적이 없었기 때문에 우리는 무엇을 해야 할지 자세히 알지 못했다. 일단 머릿속에 떠오르는 것들은 아버지의 '개인재산에 대한 처리'와 '유산상속' 등등이 떠올랐다. 하지만, 우리 모두 그 행정처리를 위해 우선적으로 아버지에 대한 '사망신고'를 해야 한다는 것은 잘 알고 있었다.

고인에 대한 사망신고는 행정적으로 사망날 이후 '한 달' 안에 처리해야 했다. 그러지 않으면 '과태료'가 부과된다. 정부에서는 행정적으로 마음을 추스를 시간을 그 '한 달'로 제약하고 있었다. 그러나 그 별것 아닌 그 '신고'는 말처럼 그리 쉽지 않았다. 나는 세종에 있었고, 동생은 매일 출근을 하고 있었기 때문에 사망신고는 자연스럽게 어머니의 몫이 되었다. 하지만 어머니는 그 행정적인 사망신고를 썩 어려워하셨다. 어머니는 아버지의 빈자리를 머리로는 받아들이고 있었지만, 마음으로는 인정하고 싶지 않으셨던 것 같다.

아버지의 유품이 일부 정리된 이후인 5월 18일에 어머니는 그 사망신고를 하려고 '시도' 하셨다. 사망신고를 위해 사망 당일 내가 그 불친절한 아저씨로부터 발부받았던 '사망진단서'를 들고 동사무소 앞에 가셨다.

하지만, 어머니는 차마 그 안으로 들어가지 못하고 걸음을 돌려 집으로 다시 돌아오셨다. 사망신고에 실패하신 어머니와의 전화통화에서 어머니가 이야기하셨다.

"도저히 못하겠어... 언제쯤이면... 괜찮아질까?"

그 말을 가만히 듣고 있으면, 나도 모르게 또 눈이 붉어졌다. 어머니께서 그 서류를 동사무소에 내미는 그 단순한 행위가 스스로 아버지의 죽음을 받아들이고 있다는 일종의 '인정'이라고 생각하셨던 것 같다. 나도 담담한 척했지만 어머니의 그 마음은 충분히 이해할 수 있을 것 같았다.

"나중에 나랑 같이 가요... 내가 조만간 올라갈게..."

그 당시 내가 할 수 있는 말은 그것뿐이었다. 그 이후에도 아마 어머니께서는 마치 마무리하지 못한 숙제처럼 머릿속 한편에 그 신고를 계속 두고 계셨을 테지만, 애써 떠오르는 그 숙제를 일부러 저 멀리 치우려고 하셨음이 느껴졌다.

5월 27일. 여느 날과 같이 아이들을 학원에 보내고 나서 한가로이 오후를 보내고 있던 와중에 아내에게 갑자기 전화가 걸려왔다.

"어. 여보세요."

"어. 난데... 내가 그동안 어머니께 너무 전화를 안 드려서 전화를 한번 드렸는데..."

"응. 근데?"

"잘못한 거 같아. 타이밍이 안 좋았어..."

"응? 왜?"

"우시더라고..."

"운다고? 왜?"

"'사망신고'하셨데..."

"아... 오늘... 하셨구나..."

"어. 오늘 하셨는데. 너무 힘들다고 우셨어..."

아내와의 전화를 마무리하고 곧장 어머니께 전화를 드렸다. 눈물이 한아름 섞인 목소리로 어머니께서 전화를 받으셨다.

“여보세요...”

“어. [아내]한테 전화받았는데... 사망신고... 하셨다며?”

“응...”

“나 가면 같이 하시지... 뭘 벌써 하셨어?”

“해야 돼서 했는데... 너무... 힘들어.”

그 ‘힘들다’는 어머니의 말에 언뜻 대꾸할 말이 떠오르지 않았다.

“힘들지? 눈물... 나지?”

그 말은 어머니께 건네는 말이었지만 나 스스로에게도 해당되는 말이었다. 내가 어머니께 그 말을 건네는 순간 나도 울컥함이 몰려왔다. 어머니는 내 질문에 ‘물음표’만 뺀 채 그대로 돌려주셨다.

"눈물 나지..."

그 말이 어머니께서 내게 물어보는 말인 것 같아서 ‘응.’하고 대답할 뻔했다. 어머니를 위로하기 위해 걸었던 전화였지만 오히려 어머니의 그 슬픔이 오롯이 내게 전이된 듯해서 전화통화를 더 이어나갈 수 없었다.

"그래요. 아무튼 좀 추스르고... 계세요."

"그래... 알았어."

어머니와의 전화를 헐레벌떡 끊고 오랜만에 나도 눈이 벌게지도록 눈물을 흘렸다. 세종의 아무도 없는 조용한 거실의 소파에 앉아 나도 그렇게 한참을 홀로 펑펑 울었다. 아버지가 돌아가시고 20일이 지난 5월 27일, 아버지는 드디어 행정적으로도 ‘고인’이 되셨다.

...

어머니가 사시는 서울 강북구의 미아동 인근에는 '오패산'이라는 야트막한 뒷산이 있었다. 아버지가 돌아가신 뒤로 어머니는 특별한 일이 없는 이상 그곳을 매일 한 번씩 오르셨다고 했다.

사실 아버지가 돌아가셨어도, 나의 눈앞 일상은 바뀌지 않았다. 여전히 아이들을 등원시키고, 맛난 커피와 식사를 하며 하루하루를 보내고 있었다. 마음 한편에 커다란 구멍이 나 있는 것을 제외하면 나는 그대로 세종에서 아내와 두 딸과 여전히 평화로운 일상을 보냈다. 적어도 외연적으로 달라진 것이 없었다. 그래서 다행인지 불행인지 대부분의 시간을 멀쩡하게 보내면서, 가끔씩 튀어나오는 헛헛함을 감내하는 어려움만 있었다.

하지만 어머니의 상황은 나와 달랐다. 어머니의 삶은 송두리째 바뀌어버렸다. 아침에 일어나도, 매번 식사를 할 때마다, 거실에서 TV를 볼 때도, 길을 걸을 때도 항상 옆에 있던 어머니의 '짝'은 이제 찾을 수 없었다. 어머니는 매 순간이 괴롭고 고통스러웠다고 하셨다. 특히 저녁시간에 그 헛헛함이 더 커지는 듯했다. 밤에 잠에 들기 어려워하신 어머니는 병원에서 제조해준 '수면제'를 조금씩 복용하셨다. 효과가 얼마나 좋은지, 어머니는 수면제를 복용하신 날이면 하루 종일 몽롱하다면서도 당장은 그 수면제를 아예 끊지는 못하셨다. 수면제의 작용은 누리면서도 반작용은 경감시키고 싶으셨는지, 그 조그만 수면제를 반으로 쪼개 드시면서 말 그대로 현실을 '버티고' 계셨다.

그래서 잠시나마 그 고통을 잊기 위해 동네의 뒷산을 쉬지 않고 오르셨다. 5월 27일, 아버지의 사망신고를 한 그날 오후에도 어머니는 그 산을 다시 오르시면서 마음을 추스르셨다.

#20. 6월의 날들

6월의 날씨는 1년이 지난 2022년에도 여전히 좋았다.

6월 2일이 되어 서울에 올라가기로 했다. 아버지가 계시지 않는 서울 본가의 방문은 이때가 처음이었다. 6월 초 서울행에서의 나의 일정은 6월 2~3일에 서울 본가에서 어머니, 동생과 함께 하루를 보내고, 3~5일에는 서울에 뒤늦게 올라오는 아내, 아이들과 같이 여행을 다니는 일정을 계획했다.

전날인 6월 1일에는 지방선거가 있었다. 돌아가신 아버지도 그 지방선거에서 선거권을 부여받으셨다. 선거관리위원회에서 전체 국민의 선거인명부를 등재하는 시기에 아버지는 '행정적'으로 살아계셨던 모양이다. 아버지의 사망선고가 5월 말에 이루어지는 바람에, 서울 본가에는 아버지의 성함도 포함된 지방선거 용지가 날아들었다. 뒤늦게 아버지의 성함이 포함된 서류를 보시고 어머니는 마치 아버지가 곁에 계신 듯 착각하셨을지 모를 일이다. 아마 살아계셨다면 선거에 참여하셨을 것이고 보수당인 여당의 승리로 끝난 그 선거를 흡족하게 바라보셨을 것이지만, 결국 아버지는 '50.9%'라는 지방선거 투표율 자체에도 도움을 주진 못하셨다.

아버지가 계시지 않는 서울 본가의 모습. 유품까지 일부 정리가 된 이후라 아버지의 흔적은 군데군데 걸려있는 몇 장의 '사진'에서

밖에 찾을 수 없었다. 아버지는 젊은 시절부터 사진 찍는 것을 참 좋아하셨다. 덕분에 서울 본가에는 꽤 많은 사진이 여기저기 놓여 있었다. 거실 벽을 비롯한 각 방의 벽은 기본이요, 집안 곳곳에 사진을 꼽을 수 있는 빈틈이 있는 자리에는 다양한 사진이 빼곡히 자리했다. 할아버지, 할머니 사진부터 시작해 아버지, 어머니, 나, 동생의 사진을 한 바퀴 지나면 며느리와 두 손녀로 이어지는 가족사진이 이어졌다. 이런 사진들이 집안 곳곳 어느 위치에서든 볼 수 있을 정도였으니, 이 집 사람들의 사진사랑을 짐작할만했다.

하지만 뜻밖에도 어머니는 내가 집을 방문했던 그날에 몇 백장에 달하는 사진 뭉텅이를 내미시면서 이 사진들을 '정리'하고 싶으시다고 하셨다. 나는 그 많은 사진을 정리하고자 하는 어머니의 심정을 쉽게 이해할 수 없었다.

"그런데 왜... 정리하시려고?"

"집에 사진이 많기도 하고... 나까지 죽으면 이거 다 누가 처리하니? 미리 버릴 것들은 버려야지."

아... 아버지의 죽음을 경험하시면서 어머니는 또 다른 준비도 필요하다 생각하셨을까? 그래서 본인 선에서 정리할 수 있는 것들에 대한 정리가 필요하다 생각하셨을까? 이 역시 언젠가 다가올 현실이겠지만, 차마 생각하고 싶지도, 인정하고 싶지도 않은 그 무엇이었다.

그런 나의 생각과는 무관하게 어머니는 사진 정리를 요청하셨고, 특별히 요즘 세상에 걸맞게 이 많은 사진들을 '파일'로 정리해서 언제든 스마트폰으로 볼 수 있는 시스템을 구현하자고 하셨다. 건네받은 사진들은 꽤 오래된 연식을 가진 흑백사진부터 비교적 최근 사진까지 꽤나 버라이어티 한 사진들이었다. 한 장 한 장 사진을 넘겨 보니, 아버지의 어린 시절부터 시작해, 군인이시던 시절, 어머니와의 연애시절과 결혼, 나와 내 동생의 출생과 성장, 내가 결혼하고 집을 떠나 분가하기 전까지의 연대기가 고스란히 담긴 광범위한 사진들이었다.

나는 몇 백장에 달하는 사진들을 스마트폰으로 한 장씩 일일이 찍어 스캔 앱으로 화질을 적절히 보정한 뒤, 어머니의 아이디로 개설한 '클라우드'에 그 사진들을 모두 올려드렸다. 또한 우리 가족이면 누구나 원할 때 그 사진을 확인할 수 있도록 설정해 두는 것으로 어머니가 원하셨던 그 시스템도 구축했다. 나는 몇 시간에 걸쳐 사진을 모두 정리한 뒤 그 사진 뭉터기를 다시 건네며 물었다.

"이 사진들은 어떻게 버리실라고?"

"이거? 태워야지... 내가 나중에 할게..."

아. 태우는 거구나. 사진은 함부로 버리기 어려우니 태워야겠지. 이것도 일종의 화장처럼...

...

나는 비교적 잘 이겨내고 있는 사람처럼 서울 본가에서 하루를 보냈다. 다음날에는 어머니, 동생과 함께 동네 뒷산인 '오패산'도 함께 올랐다. 예상보다 관리가 잘 되어 있는 꽤 괜찮은 뒷산이었다. 우리가 산을 오르는 동안 참 좋은 날씨가 이어졌다.

어머니, 동생과 함께 30분가량 산을 오르락내리락하고 나니, 꽃이 만발한 너른 경사지가 눈앞에 펼쳐졌다. 그곳이 이 뒷산의 이른바 '명당'이었다. 우리 이외에도 이미 몇몇 그룹은 적당한 장소에 삼삼오오 모여 담소를 나누고 있었다. 그중에서도 우리는 어머니가 특히 선호하시는 경사 위의 장소로 이동하기 위해 그곳에 마련된 계단을 올랐다. 경사 위의 장소는 꽃이 만발한 산 밑을 한눈에 조망할 수 있었고, 바람도 솔솔 불어오는 썩 괜찮은 자리였다.

우리 셋은 그곳에 둘러앉아서 집에서 미리 준비해 간 물과 다과를 나눠 먹었다. 어머니는 그 장소를 '오패산 커피숍'이라 칭하셨다. 그곳에서 아래로 보이는 다채로운 꽃들에 눈이 즐거웠고, 바람도 솔솔 불어와서 살짝 스며 나온 땀을 식히는데도 좋았다.

어머니가 매번 이 산을 오르시면서 흘리시는 적절한 땀, 바라보시는 꽃과 온몸으로 느끼는 바람이 어머니의 그 헛헛한 마음을 달래주는데 적잖은 도움이 될 것 같은 생각이 들었다. 덩달아 내 기분도 한결 나아지는 느낌이 들었다.

...

6월의 하루하루도 비슷한 일과를 보냈다. 별일 없이 살다가도 가끔씩 아버지의 부재를 느끼는 날이 반복되었다. 6월 중순에는 세종집으로 건강보험공단에서 서류가 날아왔는데, 나는 내가 '육아휴직' 중이라 혹시 건강보험료나 건강보험자격 변동 등의 사항을 보내왔나 싶었다. 봉투를 열어보니 내 건강보험에 포함되어 있던 아버지의 보험자격이 상실되었다는 서류였다. 원인은 '사망'. 알고 있던 일이었지만 그 두 글자에 또 한 번의 씁쓸한 상실감이 몰려왔다. 그 이후에도 가족관계 증명서 등 서류를 확인할 때마다, 아버지의 성함 옆에는 '사망'이라는 글자가 계속 따라붙어있었지만, 그 글자는 시간이 흘러도 좀처럼 익숙해지지 않았다.

아버지의 재산정리도 차츰 이루어졌다. 후에 알고 보니 '안심 상속 원스톱 서비스'라는 지원제도가 있는 모양이었다. 사망자의 상속과 관련한 행정처리를 원스톱으로 처리해 주는 제도인 것 같았지만, 그 당시에 나는 그 행정처리에 '자의적'으로 조금 무지하고자 했다. 상속을 일체 받을 마음이 없었던 것이 가장 큰 이유였지만, 어머니께서 그 일을 일일이 처리하셨던 것을 생각하면 조금 더 적극적으로 나서서 도움을 드릴걸 하는 아쉬움이 그 후에 들었다.

결과론적으로 어머니는 아버지의 개인통장, 주식계좌를 비롯한 재산을 천천히 처리해가셨다. 그 과정에는 자녀인 아들과 딸의 상속포기를 위한 과정이 필요했다. 일부는 전화로도 확인이 가능한 것이 있었지만, 일부는 인감도장이 필요했고, 일부는 주민등록증과 같은 증빙서류가 필요한 곳도 있었다. 나는 나름 'IT강국'이라는 우리나라에서 제각각인 이 행정처리가 영 아쉬우면서도 상속이란 절차가 소위 '가진 자'들에게는 그만큼 중대한 사항이 될 수도 있을 것 같다는 묘한 느낌도 함께 들었다.

아버지의 생신은 음력 5월 22일이다. 작년 2021년 음력 5월 22일(양력 7월 1일) 칠순 생신날에는 담도암의 수술을 위해 수술대에 오르셨고, 그 뒤 1년이 지나 횟수로 칠십 번째 생신 날인 2022년 음력 5월 22일(양력 6월 20일)은 살아서 맞지 못하셨다. 그 '70'이라는 숫자가 우리에겐 상당히 아쉬운 숫자였기 때문에, 우리는 아버지의 '생산제'를 조촐하게 치르기로 하였다.

2022년의 생신 당일인 6월 20 일은 평일인 월요일이었기 때문에 모두가 같이 자리하는데 다소 제약이 있었다. 우리는 6월 20일에서 하루 앞당긴 6월 19일 일요일에 아버지의 '생신제'를 위해 그 납골묘를 다시 찾았다.

그래도 '삼우제'를 한번 지내보았다고 우리는 나름의 절차와 과정에 익숙해져 있었다. 세종에서 우리는 자연스럽게 제수음식을 준비했고, 어머니와 동생은 저마다의 물품을 준비했다. 나는 이번엔 아버지를 위해 준비한 '검은색 양복'을 입었다.

어머니와 동생, 나와 아내, 아이들과 이번에도 몇몇 친지 분들이 함께 다시 그곳에 모였다. 향에 불을 붙이고 절을 올리는 생신제의 행사에서 우리의 행동은 전보다 눈에 띄게 자연스럽고 익숙해져 있었지만, 아버지의 납골함을 넣어둔 자리 앞에 서면 여전히 심장 한편이 텅 비어 있는 듯 아쉬움이 가득했다. 어머니도 여전히 그 자리에 쭈그리고 앉아 눈물을 훔치셨다.

장례와 삼우제, 생신제 등 고인을 모시는 절차를 쫓아가다 보니, 고인의 혼을 보내는 마지막 차례가 '49재'였다. 아버지가 돌아가신 날로부터 계산해보니, 생신제 이후 5일이 더 흐른 6월 24일 금요일이 아버지의 49재였다. 어머니께서는 생신제와 시간적으로 붙어있기도 했고, 굳이 49재까지 준비할 필요는 없다고 이야기하셨다. 나도 그 말에 전적으로 동의했지만, 그나마 근처에 사는 내가 '시간이 되면 혼자서라도 찾아와 보겠다.'라고 이야기했다. 그렇게 그날을 마무리했다.

...

6월 하순부터는 장마가 온다고 했다. 6월 22일부터 하늘이 끄물끄물하더니, 6월 23일에는 하루 종일 비가 내렸다. 행여 24일에 비가 내리면 아버지를 모신 납골묘에는 방문이 어려울 수 있었다. 아버지의 납골묘는 내리는 비를 뚫고 가기에는 꽤 험준한 산 중턱에 있었기 때문에, 나는 전날까지 내리는 그 빗소리가 한결 어두운 소리로 들렸다. 하지만 하늘의 뜻을 내가 거스를 순 없는 노릇이었다. 그 어두운 빗소리를 들으며 저녁에 잠자리에 들었다.

6월 24일 아침이 되니, 언제 그랬냐는 듯 비는 잦아들어 있었고, 군데군데 구름을 찢고 햇볕이 내리쬐고 있었다. '갈 수 있다. 갈 수 있다.' 내가 마음속으로 되뇌었다.

어머니와 동생은 새벽 5시에 '연도 미사'(천주교에서 지내는 일종의 장례미사)에 참석해 이미 아버지를 위한 기도를 마친 상태였고, 아내는 아버지의 49재에 나와 함께 납골묘에 방문하기 위해 회사에 연차를 신청해 둔 상태였다. 나는 어머니께 전화를 드려, 비가 잦아든 것 같다고 잠시라도 납골묘에 방문하겠다고 말씀을 드렸다. 온 우주가 나를 돕는 느낌이 들었다. 준비물은 별게 없었다. 달랑 정종 한 병과 안주로 먹을 수 있는 오징어포가 전부였다. 아침 8시 30분 즈음에 아이들을 학교에 보내고 아내와 함께 차에 올라탔다.

집에서부터 약 30분쯤을 달려 아버지 납골묘 인근의 저수지 옆길에 다다랐다. 그 길을 따라 약 5분간 산을 넘으면 될 일이었다. 그런데 무언가 이상했다. 며칠 전 삼우제에 방문했을 때도 보지 못했던 '공사 중'이라는 차량통제 가림막이 떡하니 그 길의 중앙에 놓여있었다. 사실 그 저수지 옆길은 관리가 잘 되어 있지 않은 비포장 길이었다. 그래서 이 지역에서 이 길을 조금 더 쾌적하게 관리하기 위해서 일부 포장공사를 한다는 소식은 이미 예전에 듣긴 했었는데... 그게 왜 하필 이번 주냐고!

나는 당황스러웠다. 어찌해야 할지 몰랐다. 눈앞에 보이는 이 산만 넘으면 되는데... 걸어가야 하나? 걸어가면 산을 넘어야 하기 때문에 족히 30분은 걸릴 거리였다. 나 혼자 왔었다면 아마도 산을 걸어 넘었겠지만, 아내와 함께 이곳을 걷기에는 힘들 것 같았다.

납골묘에 이르는 길은 이 저수지 옆길 이외에 또 다른 코스가 하나 더 있다는 이야기를 들었었다. 하지만 그 코스가 있다는 이야기만 들었었지 내가 한 번도 가보지 못했던 길이었고, 어딘지도 알 수 없었기 때문에 쉽게 택할 수 있는 선택지는 아니었다. 스마트폰의 지도 어플을 켜고 위성사진 모드로 바꾸어 납골묘에 이르는 또 다른 길이 있는지 살펴보았다. 위성사진 상으로 확실하진 않지만, 산을 크게 한 바퀴 둘러 도달할 수 있는 또 다른 길이 있었다. 저수지 옆길로 평소면 5~10분 남짓이면 도착할 수 있는 길을 대신해, 산을 빙 둘러 오르는 그 코스의 길이를 스마트폰에서 눈대중으로 계산해보아도 족히 20분 이상은 걸릴 것 같았다. 나는 잠시 차 안에서 고민을 했지만, 이내 아내에게 말을 건넸다.

"올라가 보자!"

아내는 앞을 알 수 없는 산길을 차로 오르는 게 상당히 불안해 보였지만, 남편의 간절한 마음을 이해했는지 차마 거부하진 못했다. 스마트폰의 지도 어플에 찍히는 내 위치와 납골묘의 위치를 비교해 가면서 산을 오르기 시작했다.

처음 또 다른 코스의 입구에 다다를 때는 그나마 수월했다. 이윽고 산으로 올라가기 시작한 다음부터는 조금씩 불안해졌다. 우리가 과연 맞게 가고 있는지를 모르는 불안감에서 시작해, 점차 높이가 더해져 가면서 아무런 포장도 되어 있지 않은 깎아지른 경사면을 오를 때는 그 불안감이 더욱 커져있었다. 한참 그렇게 산을 오르고 나니, 차량의 오른편에는 '고라니'가 뛰어다니고 있었고, 왼편으로는 혹여나 운전을 잘못하기라도 하면 굴러 떨어질 수 있는 '낭떠러지'가 연출되는 매우 살벌한 경험을 하기에 이르렀다. 그래도 한편으로는 발아래로 펼쳐지는 절경을 감상할 수 있다는 묘한 경험도 함께 할 수 있었다.

그렇게 20분 이상을 한참 산을 넘고 나서야 우리는 드디어 아버지의 납골묘에 도착할 수 있었다. 그렇게 험난한 과정을 겪고 나서 납골묘에 도착하고 나니, 가볍게 생각했던 이곳의 방문이 내게 주는 의미가 더 커져 있는 느낌이었다. 49재의 날이었지만, 그런 것 자체는 내게 그리 중요하지 않았다.

시간이 적잖이 지체된 만큼 빠르게 49재를 준비했다. 대나무 돗자리를 깔고, 향에 불을 붙인 뒤, 아버지에게 정종 한잔과 오징어포를 올려드렸다. 나는 간단하게 이배를 올리고 나지막이 이야기했다.

"그동안 고생하셨어요. 우리는 잘 살아 볼 테니까, 이제... 하늘에서 편히 쉬세요."

그렇게 인사를 건네고 10여분 정도 그곳을 거닐면서 시간을 보냈다. 예상했던 시간보다 시간이 한참 흘러있었기 때문에 아이들의 하원 시간을 맞추려면 빠르게 돌아가야 했다. 그 짧은 만남 뒤에 우리는 다시 산을 넘어 집으로 돌아가기로 했다. 들어갔던 길의 역순으로 우리는 다시 산을 넘었다.

한번 넘어온 길이었기 때문에, 돌아가는 길은 마음이 한결 편해져 있었다. 날씨는 아침보다 더욱 좋아져 있었다. 먹구름이 군데군데 있었지만 마치 아버지의 슬픈 영혼을 달래듯 먹구름 사이로 햇살이 점차 모습을 드러내고 있었다. 집에 가까워 올수록 날씨가 한결 쾌청해지는 것 같았다. 햇살도 덩달아 뜨거워진 듯했다.

"날이... 좋네."

6월의 여느 날과는 다를지 몰랐다. 1년 전 그때처럼 햇살이 좌라락 대지를 때리는 느낌은 들지 않았다. 그래도 먹구름을 몰아낸 그날의 햇살은 느낌이 좋았다. 그게 진짜 좋았던 것인지 내 마음이 한결 가벼워진 것 때문인지는 모르겠지만 말이다.

1년 전 6월과 올해 6월 사이에 많은 것이 바뀌었다. 우리는 절망과 희망 사이를 오르락내리락했다. 그날의 그 변덕스러운 날씨는 우리가 1년간 보내온 고통과 애환을 담아내기도 하고, 앞으로의 삶을 응원하기도 하는 것 같았다.

마치 하늘에서 아버지가 우리에게 이야기하듯이...

아버지께

그래도...

청명했던 그 날씨는 어느덧 바뀌어 갑니다.

2022년 5월 7일 아버지는 돌아올 수 없는 먼 곳으로 떠나셨습니다.

저희도 한동안 무척이나 힘들었습니다. 아니 지금도 사실 실감이 잘 나지 않습니다. 아버지의 얼굴, 목소리 금방이라도 볼 수 있을 것만 같고, 들을 수 있을 것만 같은데 그럴 수 없다는 현실이 믿기지 않습니다. 사실 언젠가는 이런 날이 올 줄은 알았어요. 단지 우리의 예상보다 그 시간이 훨씬, 아주 훨씬 일렀을 뿐입니다.

아버지를 고향에 모시고 나서 당분간은 아무것도 할 수가 없었어요. 하기가 싫었다는 게 더 맞으려나요? 그 당시 제 세상은 온통 검은색이었던 것 같습니다. 그렇게 며칠을 보냈습니다. 그런데 참 웃기죠. 아버지가 돌아가시고 보름 정도 지났을 무렵 문득 별걱정 없이 잘 살고 있는 제 모습을 보았습니다. 사실 놀랐어요. 아. 이렇게 점점 잊히는구나.

마치 검은색 물감에 흰 물감을 군데군데 떨어뜨리듯이, 그 흰 물감이 닿은 자리는 어느새 검은색 물감이 사라지고 있는 것을 느꼈어요. 검게 변했던 내 삶이 언젠가는 하얀색으로 다시 변해야 한다는 것을 알고는 있었지만, 이렇게 이른 시간에, 순간순간 잊히는 줄은 몰랐습니다.

지금은 비록 하얀색 물감이 천천히 스며들고 있었지만 시간이 흐를수록 그 하얀색 물감은 농도를 더 할 것 같았어요.

아버지를 생각하면 고통스러운 마음을 조금이라도 빨리 잊고, 지우고 싶었는데 막상 그 순간이 다가오니 덜컥 겁이 났습니다. 시간이 더 지나면 아버지를 보내드렸던 그 마지막 기억조차 희미해지는 것 아닐까, 그렇게 내 삶에서 아버지의 모습이 영영 지워지진 않을까 하는 생각이 들었어요. 그게 사실 무섭고 겁이 났습니다.

저는 그 흰 물감에 다시 검은색 물감을 덧칠하기로 했습니다. 시간이 더 걸리고 힘든 일일지라도 말입니다. 왜 그런 생각을 했는지 정확하게 표현할 수는 없지만 아마도 아버지를 잊고 싶지 않아서겠지요. 그래서 그때의 그 상황과 기분을 글로 남기기로 했습니다. 적어도 제가 남긴 글 속에서 아버지는 계속 우리와 함께 계시길 바랐습니다.

사실 그때를 다시 떠올리는 것은 그리 유쾌한 작업은 아니었어요. 제가 필력이 뛰어난 사람은 아니지만, 아버지를 생각하며 한 자 한 자 적어 내려가면서 그때의 감정이 되살아 나는 신기한 경험을 하게 됐습니다. 아버지의 병환을 처음 알았을 때의 당혹감, 아버지가 수술을 잘 마치고 회복하실 때의 안도감, 병마 앞에 느꼈던 무력감 등등의 묘한 감정 말이에요. 아버지의 마지막 순간을 기록할 때는 제가 적어놓은 글을 보며 정신 나간 사람처럼 몇 번이나 눈물을 흘렸는지 모릅니다. 하지만 적어도 저에게는 그 글들이 그때의 아버지의 얼굴과 그때의 목소리를 떠올리게 하는 도구가 되어 주었습니다. 뿐만 아니라 어머니와 동생, 아내와 딸들까지도 한번 더 생각해 보게 되었어요.

'감사하고 사랑합니다.' 살아계실 때 그 말을 많이 들려드리지 못해 죄송하고 죄송합니다. 나뿐 아니라 우리 가족은 여전히 아버지를 생각하면 마음 한구석이 저릿합니다. 그래서 그 힘든 마음을 잊으려 더 노력하는지도 모르겠어요. 시간이 흐르면 해결되겠지요. 하지만 그때의 기억이 차츰 흐려져도 결코 잊지는 않으려고 합니다. 아플 겁니다. 고통스러울지도 몰라요. 아니면 그냥 아련한 추억으로 남을지도 모르고요.

무엇으로 남을지 모르지만 그래도 노력할게요. 아버지와 보냈던 그 행복했던 시간들과, 마음 아팠던 마지막 순간을 잊지 않도록, 그 순간순간을 떠올리는 것이 한없이 고통스럽더라도. 그래도...

그래도 추억하겠습니다.